CAMIÑO DOS FAROS

RAFAEL LEMA

www.caminofaros.guiaburros.es

EDITATUM

Diseño de cubierta: ©Andrea Fernández Rodríguez (EDITATUM)
Maquetación de interior: © EDITATUM

Primera edición: Octubre de 2020

ISBN: 978-84-18429-07-1
Depósito legal: M-27303-2020

IMPRESO EN ESPAÑA/ PRINTED IN SPAIN

Si después de leer este libro, lo ha considerado como útil e interesante, le agradeceríamos que hiciera sobre él una **reseña honesta en Amazon** y nos enviara un e-mail a **opiniones@guiaburros.es** para poder, desde la editorial, enviarle **como regalo otro libro de nuestra colección.**

Agradecimientos

A Amelia, Xose Manuel y Sito

Sobre el autor

 **Rafael Lema** es un escritor e investigador de Ponte do Porto (A Coruña), autor de una abundante y premiada obra de novela, poesía y ensayo en lengua gallega, también de varios libros en castellano de investigación sobre el fenómeno jacobeo y la mitología galaica, o sobre la historia marítima del Cantábrico. Habitual colaborador en prensa, radio y tv, es uno de los primeros voluntarios comprometidos con el exitoso *Camiño dos Faros*. Es autor de los siguientes libros:

En gallego: *Flores negras* (1998, Sotelo Blanco); *Capitán Araña* (1999, Sotelo Blanco); *Mareas negras* (2003, Tambre Edelvives); *O club do Corvo Mariño* (2005, Tambre Ed); *U-49* (2007, Tambre Ed); *Crónicas corsarias* (2008, Tambre Ed); *O tesouro da corsaria* (2010, Tambre Ed); *Cemiterio das gaivotas* (1993, Espiral Maior); *Atlántida* (1999, Espiral Maior); *Luces de N. Y.* (2001, Sociedade de Cultura Valle-Inclán); *Sete vagas* (2006, Sociedade de Cultura Valle-Inclán); *Alturas do Monte Pindo* (2013, Concello de Negreira/Consellería de Cultura). En castellano: *El camino secreto de Santiago, la ruta pagana de los muertos* (2007, Edaf); *Costa da Morte. Un país de sueños y naufragios* (2011, GAC3); *Catálogo naufragios Costa da Morte-Galicia* (2012); *Diputación A Coruña. Crónica marítima* (Galp 2017). En otras lenguas: *La vía Pagana a Compostela* (Anguana Edizione Verona, 2015), italiano. *La Galice*, (Anaya Touring. 1993, francés).

Índice

Introducción

O Camiño dos Faros

O Camiño dos Faros es una ruta costera de senderismo de 200 kilómetros que une Malpica con el cabo Finisterre. Un camino que pasa por siete faros de la Costa da Morte recorriendo parajes naturales de gran belleza, pero también llenos de historia y leyenda. Recorrer toda la costa por el borde del mar de forma segura es la premisa inicial de los creadores de la ruta. Así se fueron perfilando las etapas, limpiando las sendas, trazando las señales en verde *trasno* que nos ayudan a no perdernos. Mi aportación es la de llenar el camino de magia añadiendo a nuestras mochilas las leyendas de nuestros antepasados.

Muchos de estos cuentos de invierno de las *lareiras* de nuestras abuelas conservan el viento de una milenaria hermanad atlántica. Galeses e irlandeses en sus leyendas de muertos, los bretones en sus *balades legendaires*, creen que en el uno de mayo, o en el día de reyes, algunas singulares almas de otro mundo aparecen en forma de aves. Otras llegan como pequeños y oscuros pájaros marinos anunciando tormentas. Son ánimas de capitanes de barcos perdidos cuyos cadáveres no fueron encontrados, condenadas a pasar a los cuerpos de pequeños pájaros marinos negros, de las *"histories"* de *fees*, *revenants*, *geants*, ciudades perdidas, *korrigans*. Para espantar los miedos o saludar a las aves maravillosas, nuestros abuelos salían de ronda por las *corredoiras* a cantar los mayos y los reyes.

En este viaje entre acantilados iremos descubriendo algunos misterios de un territorio especial en el que perviven con inusual vigencia tantos mitos donde los muertos andan entre los vivos y los cementerios están en medio de los pueblos. Conoceremos seres increíbles: *a ave da chuvia, a raposa da mordasa, valugos, mouras*, encantos, *xigantes*; la temible Mirta, el agresivo Xan. Otras criaturas ya viejas amigas del caminante iniciado: Xerpa, Vakner, Orcabella, Buserana. Veremos a nuestros particulares Bigfoot, Rip van Winkle, hombre lobo, vampiro; nuestras aldeas malditas y atlántidas sumergidas. ¿Quién enseñó su arte a las *palilleiras* y a los *oleiros*?, ¿dónde está el castillo de Irás y No Volverás?, ¿por qué hay una hora más de luz cuando el sol se pone?, ¿por qué se arrastran las serpientes? Bienvenidos al camino de las leyendas.

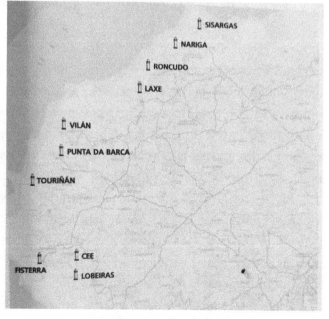

Camiño dos faros

Un camino de leyendas

Etapa 1: Malpica-Niñóns (21,9 Km)

La primera etapa del *Camiño dos Faros* comienza en el puerto de Malpica y finaliza en la playa de Niñóns después de un recorrido de 22 Km. En esta ruta pasaremos por seis tranquilas playas, las islas Sisargas, grandes acantilados y el más moderno de los faros, el de punta Nariga.

Los caminos reales atraviesan la tierra de Bergantiños hacia el puerto de Malpica; veredas de bandoleros y *xalleiros* (arrieiros), vías dominadas por el mítico monte Neme. Su nombre viene del céltico "*nemeth*" (bosque sagrado). Allá se concentraban la noche de san Juan las brujas en su sínodo negro. Se reunían en la fuente de las ruinas de la capilla de Santa Cristiña, luego subían a un círculo lítico, o *cromlech*, la Eira das Meigas y una vez allí, cada una sentada en su piedra alrededor del fuego, pensaban en los males que aquel año traerían al mundo de los vivos. Es esta una zona minera, donde los nazis se aprovisionaban del valioso wolframio para los motores de sus *stukas* y el blindaje de sus *panzer*. Estos caminos estaban plagados de contrabandistas y espías, siendo no poco frecuentes los robos y muertes provocados a causa del codiciado metal.

Otro de los montes interiores que encierran la contorna es el de San Amaro. El nombre del monte hace referencia a un curioso personaje hermanado con los monjes irlandeses, un navegante gallego cuyo epíteto celta (Amaro) significaba "inmortal". Desde su cumbre se divisa el mar que alcanza la luz de la torre romana de Hércules, el santuario de San Adrián, o el de Os Milagros de Caión, al que los romeros llevan en su empinada subida una piedra del camino que posan en un *milladoiro*, un otero de guijarros en donde queda depositado el pecado o miedo de cada devoto. San Amaro es un *mouro* convertido en santo por el pueblo galaico en el abismo de la memoria de los tiempos cuya santidad, por supuesto, no es reconocida por la Iglesia Católica pese a que en Galicia es patrón de dos parroquias y tres *concellos*. Era Amaro de noble familia, heredero de una buena fortuna con la que fundó hospitales y asilos para pobres. Tras esta vida de dedicación a los demás emprendió una peregrinación para alcanzar el paraíso, que como todo hijo del atlante sabía que estaba al oeste, en unas islas fantásticas ocultas por la bruma, las que salen en los más antiguos mapas enfrente al Finisterre. Tras muchos trabajos en su navegación llegó a una isla desierta y allí inició la subida a un monte. En la cima encontró a un anciano guardando la puerta de una muralla de plata. En su interior estaba el paraíso. Al no poder entrar, por estar reservado a los muertos, el anciano apiadado le dejó echar un vistazo a través de la cerradura. Deslumbrado por la visión, Amaro bajó hasta su barca, pero ya no vio la playa, sino una gran ciudad. Habían pasado trescientos años, y con el tiempo allí nació una urbe que llevaba su nombre, San Amaro. Arrepentido por su soberbia se arrodilló delante del altar mayor de la catedral llena de devotos y le pidió a Dios que lo llevase con Él. Ante el asombro de los presentes al ver aquella figura desconocida, con ropas extrañas de otro tiempo, aquel hombre cayó muerto delante del altar, en donde le dieron sepultura. Desde entonces se le guarda culto en el templo de esa gran urbe de un archipiélago de fantasía. Es de gran devoción en Galicia, cura dolores de cabeza y reuma, colocando su imagen encima del miembro dolorido. En su fiesta, el 15 de enero, se encienden hogueras y se asan chorizos, se toma vino con nueces o castañas. Los niños gallegos tenían un tiempo para jugar al trompo (la peonza) que iba desde San Martiño, en noviembre, hasta el día de San Amaro, el peregrino navegante. Entonces guardaban en el desván su juguete diciendo "*o día de San Amaro bota os trompos no faiado*".

En la zona rural de labranza, ganado y madera, se encuentra el castro de Cerqueda, en donde los *mouros* enterraron una viga de oro y otra de alquitrán. El que descubra la primera será rico, pero si alcanza con su pico la segunda puede causar el fin del mundo y mares de lava y piche cubrirán los valles y los montes. En la misma parroquia sobrevive a la acción de los buscadores de tesoros armados con el *Libro Magno de San Ciprián* en el dolmen de Pedra da Arca. Sus enormes losas fueron llevadas encima de la cabeza por una *moura*, mientras hilaba en su rueca y daba de mamar a un niño. En la parroquia vecina hallamos el pueblo alfarero de Buño, en donde siguen activos los alfares de los *oleiros*. Cuentan con su altar de ánimas, a donde acuden las *almiñas dos defuntos* para dar una visita a los vivos o pedir unas misas de rogativa en honor a Santa Xusta, patrona de los *oleiros*; o a Santa Filomena, advocación local. Santa Xusta y su hermana Rufina eran hijas de un alfarero sevillano que rechazaron dar su mercancía a los paganos para las fiestas de Venus y Adonis y les rompieron sus ídolos, por lo que fueron martirizadas. Xusta murió en la rueda y Rufina estrangulada. También se les guarda culto en la aldea marinera de Santa Mariña do Tosto, donde hay un antiguo convento.

El aire de envidia o *mal de ollo* de algún aldeano puede destruir por la noche el trabajo diario del alfarero. Para conjurarlo, el artesano arroja ajos y agua bendita al horno durante la cocción, pronunciando un ensalmo. Otro ser mágico que hace diabluras es el diminuto *diaño bulreiro*, que puede romper algún cacharro u ocultar instrumentos; por eso en ciertos días del año, como en la Nochebuena o Reyes, se le deja un plato con alguna nuez o higos pasos, un juguetito de barro (*lillo*), o una bocina (*buxina*). En ocasiones, cuando un maestro alfarero se desespera porque no es capaz de realizar un encargo a tiempo, se encuentra por la mañana con parte de la tarea terminada por algún amigable y agradecido *diaño bulreiro*.

Los *oleiros* de Buño, como andaban por todos los caminos del reino (tal el *xalleiro* Melquíades el mago) conocen muchas historias, que si no son verdad algo se le acercan. En un paraje cerca de la aldea se esconden entre la maleza las ruinas de la "aldea maldita". Sus habitantes eran *valuros*, una tribu perdida de asaltadores de mercaderes, feriantes y náufragos caídos en la costa. Un día pasó por allí un señor mayor de barba blanca que iba de peregrinación a Muxía y les pidió albergue. La respuesta fue robarle sus pertenencias y amenazarlo por si lo contaba. Entonces el anciano se descubrió y les mandó una maldición por sus pecados; era Santiago Apóstol. Desde ese momento la aldea se fue despoblando, pues ya nadie quiso volver a vivir allí.

También cuentan los *oleiros* que en la parte más alta de un castro, entre unas rocas, vive una hermosa tendera. Sale de noche entre una hendidura del peñasco y extiende su surtida tienda. Cada vez que alguien se le acerca, huye y desaparece. Solo una persona pudo tratar con ella. Se llamaba Manolón y era un mozo fuerte y atrevido con ganas de descifrar el misterio de la dama de la tienda. Armado de rosarios, Manolón subió a la montaña. A media noche, como siempre, apareció la bella mujer al lado de un tenderete lleno de mercancías. Manolón caminó hacia ella y por vez primera no desapareció; permaneció detenida con la mirada fija en él. Estando ya a solo dos pasos, ella le peguntó qué era lo que más le gustaba de su tienda. Le respondió que unas tijeras que allí tenía. La tendera, con su blanca mano, las agarró y se las lanzó al joven, acabando en un momento con su vida. Un sabio muy famoso de la zona de Baiñas que ya consultaba cuando estaba dentro de la barriga de su madre, le dijo a un viejo *oleiro* en la feria del lugar que la respuesta al enigma de la *moura* era: "*a min gústame a tenda e máis a tendeira*". Una señora que no es de Buño me indicó que tal suceso pasó en el castro Das Barreiras, en el monte Nariga, por donde pasaremos en esta etapa.

Otra aldea interior del *concello* de Malpica es Mens, con su preciosa iglesia románica, su antiguo monasterio benedictino y su castillo medieval. Dicen que un túnel comunica las torres con la iglesia. En otros tiempos, el alcaide de Mens, después de raptar a una moza del lugar el mismo día de su boda, intentó escapar por el subterráneo que une la iglesia y el castillo. Los paisanos quemaron paja en sus extremos para que no pudiera huir, quedando allí para siempre. Desde entonces, en el trigal que hay encima del túnel las espigas nacen amarillas, marcando en línea recta el tramo del antiguo viaducto bajo tierra. Le llaman el trigal maldito y aún puede contemplarse.

Desde el monte Neme o el de San Amaro divisamos el mar de los *bergantiños* y los ártabros, a los que combatieron Julio César y Augusto. Hoy este lugar es poblado por barcos pesqueros, los cuales largan trasmallos, betas, nasas y palangres. Los que hoy pueblan esta zona son descendientes de mercaderes de sardina, hierro, sal y madera, de corsarios y de balleneros. El escritor sevillano José Mas hace un siglo describió a Malpica como un cachalote encallado con casas como conchas incrustadas en su piel. En su puerto, el islote de O Castelo es conocido como el barco de Maghé. Era el viejo Maghé un marinero en tierra, pescador de caña que no quería salir a la mar. Un día desapareció pero dejó su nombre a la isla para siempre. En las noches de luna se aparece su silueta, con su larga barba, amarrado a su caña. Desde lo alto la misma isla esmeralda parece el propio rostro del pescador solitario, con los orificios de ojos y boca marcados por varias cuevas, y una caña de piedra en la mano.

En la encrucijada que va al muelle, un bello *cruceiro* señala un lugar de ritos. Allí las "sabias, *carteiras, vedoiras, menciñeiras, meigas, pastiqueiras*" cada una acompañada por dos monaguillos, a golpe de hisopo, aguardiente y jaculatorias, curaban males de ojo, encantamientos y aires de muerto o de vivo. Era este un lugar propicio para ser visitado en ciertas épocas del año por las almas del otro mundo, las cuales venían a rezar o a pedir una intercesión por algún pobre mortal. A propósito para las benditas almas del purgatorio fueron erguidos los tradicionales petos de ánimas de Bergantiños. La capilla de As Neves o de San Antón, como muchas otras de la comarca, fue levantada por un ermitaño que allí vivía, pero en este caso conocemos su nombre, Antonio Rodríguez Chouciño. El día del santo, el 13 de junio, suben a San Antonio y a la Virgen de As Neves desde la parroquia hasta este templo y luego los vuelven a bajar al anochecer. La irreverente tradición dice que ambos son novios y tienen su día para verse, su fiesta, en la que agradecidos demuestran con largueza de curaciones su felicidad. También San Adrián tiene a su esposa, Santa Natalia, que lo acompaña el día de su procesión hasta la ermita. Podemos observar que estos santos de la Costa da Morte comen, beben, bailan y aman como los humanos, siendo esta vitalidad la razón de su poder de curación; *son coma nos.*

Al lado de la ermita se encuentra una de estas casitas donde se refugian las *almiñas dos defuntos*, en una tierra donde no existe la muerte si hay recuerdo de los ancestros y se vela por ellos. Estos petos de ánimas son pequeños oratorios coronados por una cruz, con su limosnero, lugar para velas y flores. Los vemos en Seaia, Oza, Cances, Buño, Mens y Seavia. Las benditas ánimas del purgatorio se aparecen a los mortales en los cruces de caminos o en estos oratorios. Se escuchan primero sus lloros; luego susurros, rezos y gemidos; y finalmente suelen hacer una petición de rogativas, sufragios, misas al embelesado oyente, al que suelen acompañar por el camino hasta su casa. Las almas del otro mundo se aparecen más en algunas fechas del año, como en la primera semana de noviembre, trasformados en abejas o luciérnagas (llamadas *"velliñas"*). Por eso, estos insectos no se deben matar. Las abejas bajan por la chimenea a la *lareira* del hogar a calentarse y mostrase a los de la casa, pues son estas las almas de los parientes de los que en ese lugar habitan. Los lugareños dejan un platillo con *broa* o *farelo* y vino. A las luciérnagas de los muros no se las debe atrapar ni matar, pues son almas de Dios, que puede mandar un castigo a quien las dañe o de muerte.

En Malpica aún podemos escuchar las voces ocultas entre la maleza de los *talieiros*, los vigías dedicados en las atalayas a avistar ballenas o cachalotes. Siguen pasando por estas costas toda clase de cetáceos cuya estela se puede ver desde cualquier altura. Y guardan memoria las crónicas escritas de una Moby Dick de las costas bergantiñanas, llamada "la ballena enfurecida". Sucedió en diciembre de 1700, cuando Juan Vidal Canzelo, mareante del puerto vecino de Caión y sus compañeros salieron "a dar caza a una ballena grande y a un ballenato pequeño; y habiendo clavado el arpón, la ballena viendo herido a su hijo se enfureció tanto que rebatió sobre la lancha que le había arponado, y con un zarpazo con la cola la abrió y trastornó, y la gente viéndose perdida clamó invocando el auxilio de Nuestra Señora de Pastoriza; luego el barco se puso derecho y salieron con los remos, siguieron la ballena y la mataron con admiración de todos". Son numerosas las historias de percances y naufragios en donde los marineros fueron salvados al solicitar la ayuda de la virgen, la señora de los santuarios que se avistaban desde la costa de Bergantiños; como los de Pastoriza, Monte Faro, Virgen del Monte y A Barca. Los exvotos de pequeñas naves colgadas en los templos, algunos iconos barrocos y las relaciones de milagros de cada capilla dan fe de estas viejas crónicas del mar, las cuales hacen mención de sus patrones y barcos. Excede este trabajo el listado de estos memoriales que tengo transcrito en otras obras.

Salimos de Malpica de Bergantiños en dirección al cercano cabo de San Adrián, donde se ubica la ermita del mismo nombre. Pasamos la playa de Seaia y la fuente de los romeros, los farallones de Sequeiros. Desde San Adrián tenemos una amplia panorámica de la bahía de Malpica y las islas Sisargas. Caminos de pescadores nos llevarán hasta el lugar de Beo, cruzando los primeros acantilados del *Camiño dos Faros*, inmejorables puntos de observación de aves marinas y cetáceos. La iglesia de San Adrián do Mar es un buen lugar para detenernos y tomar apuntes de las viejas historias de Bergantiños. Por el mar se extienden sus aguas hasta las costas de Carballo y Caión, patria de balleneros y vergel de la provincia. De los graneros de Bergantiños salieron carros de bueyes cargados de trigo y madera para nutrir las armadas del emperador Carlos y de su hijo Felipe II.

Pedra da Serpe

El culto a San Adrián sigue muy arraigado en Bergantiños, contando con tres famosos santuarios, dos costeros
(Corme y Malpica) y uno en tierra de labranza y arrieros
(Sofán). Grande es la romería de San Adrián do Mar de
Malpica, que se celebra el 16 de junio si cae el domingo,
y si no el domingo siguiente. Varios miles de romeros suben caminando desde la parroquial de la villa a la alejada
ermita portando las imágenes de San Adrián, San Julián
y Santa Natalia. En los acantilados del cabo vemos una
serie de pliegues en las rocas que los romeros identifican

con las marcas del santo. El más espectacular es *a serpe*, una cinta de cuarzo serpentiforme encajada en un lecho de mica; la culebra del santo petrificada bajo sus pies. En la misma zona, una serie de huecos y agujeros son la impronta de las pisadas del santo, pudiéndose apreciar también su cuenco, el que usaba el ermitaño para recoger el agua de la lluvia y saciar su sed.

San Adrián era un militar, un mártir de la era romana al que se encomiendan los quintos. Por eso los condes de Altamira, grandes señores de la zona, le rendían desde el siglo XV especial culto y posiblemente auspiciaron la cofradía que celebraba en Corme grandes pitanzas, hasta que fueron prohibidas por la mitra compostelana por sus excesos. En todo caso, y sin atender vanas escrituras hijas de escribanos, este San Adrián do Mar es para los locales un ermitaño que vivió en el cabo que lleva su nombre cuando toda esta tierra estaba infestada de culebras. Para conjurar este azote, el santo golpeó la tierra con su pie y todos estos peligrosos reptiles corrieron espantados a refugiarse a la Pedra da Serpe de Gondomil (cerca de Corme), una ara con un ofidio alado de piedra sobre el que fue colocada una cruz para que nunca se atrevieran a salir de su encierro en las entrañas de la tierra. Aviano, en su *Ora Marítima* del siglo IV a. C., nos habla de una invasión de sierpes que convirtió Finisterre en un país llamado Ofiusa y expulsó a sus primitivos habitantes, los oestrimnios: *"una plaga de serpientes puso en fuga a sus habitantes y logró que esta tierra quedase despojada hasta de su propio nombre"*. En Malpica y Corme saben que San Adrián nos liberó. A la *Ora Marítima* le faltan hexámetros.

Una multitud sube la imagen desde la parroquial a la ermita del cabo en junio. En su templo se celebraba un curioso ritual: *baixar o santo*. Una pequeña estatua del santo, con asas en la espalda, se usaba para colocar sobre la cabeza, hombros, pecho y espalda del ofrecido, mientras el sacerdote rezaba una oración. Eran tres las imágenes utilizadas para este rito ancestral. Se relaciona el nombre de Adrián con el céltico Ariainn, divinidad del pastoreo y la agricultura. Es este el señor del monte Beo, que impidió a una gran serpiente o dragón pasar a las islas Sisargas. Por eso cuentan en Malpica que esta gran sierpe, habitante de estos montes desiertos, pedía cada año un tributo de niños. Adrián, dando muerte a la misma, los libró del mal.

En medio del campo de la fiesta hay una gran roca con una cruz. Debajo, un cura nigromante guardaba el dinero de todos los feligreses, porque era un lugar protegido al que solo se iba una vez al año, el día del santo. Un día subió con una burra cargada de ollas de barro con dinero y acompañado de un criado. Al llegar a la cruz, le pidió al criado que regresara con la burra; pero el mozo era muy pícaro y para descubrir su secreto se escondió tras una mata. El cura trazó un círculo alrededor de su persona mientras leía la biblia negra (el *Ciprianillo*); luego tomó tres lagartos de un bolsillo de la sotana recitando solemnemente: *"o que queira os cartos levar, un bico na cola me ten que dar"*. En cuanto marchó el párroco, el criado se acercó al foso y se puso a cavar, mas nada halló, así que decidió coger los lagartos que allí seguían y darles un beso en el rabo a cada uno. De pronto, los cacharros de barro llenos de dinero empezaron a brotar entre la hierba. El rapaz tomó su botín y nunca más se supo de él. Dicen que en Vigo embarcó para Cuba.

Islas Sisagras

Las islas Sisargas son tres: la Grande, la Chica y la Malante. En la mayor hay una playa con un pequeño puerto, donde nace un camino que lleva al faro. Es lugar de nidificación de aves marinas y en otros tiempos estuvo habitada. El gran naturalista Alexander von Humboldt, en el inicio de su viaje americano al salir de A Coruña el 5 de junio de 1799, anota en su diario: *"el último objeto que vieron mis ojos del viejo mundo fue una cabaña de pescadores en la Sisarga"*. Dicen que en estas islas se refugiaron los últimos templarios de Galicia con sus conocidas encomiendas en la vecina Laracha, pero fueron masacrados en torno a la capilla isleña. Quizás esta vena maldita explique el siguiente párrafo.

Entre la isla Grande y la Malante hay un canal conocido como *a canle da estádiga*. Hace referencia a la aparición de la Santa Compaña, también llamada *estádiga, estadea* o *ronda*, una leyenda presente en toda la geografía galaica. Se trata de una comitiva de almas en pena vestidas con túnicas negras o blancas y capuchas que vagan durante la noche entre cementerio y cementerio en busca de algún mortal. Los entendidos de maleficios precisan que no tienen pies, clara señal de su carácter sobrenatural. Ante una visión espectral, se pregunta siempre al vidente la fatídica inquisición: *"¿e tiña pes?"*. Esta procesión de ánimas forma dos hileras, cada miembro de la temible hueste lleva una vela encendida y a su paso deja un olor a cera en el aire. Caminan rezando el rosario, entonando cánticos fúnebres y tocando una pequeña campanilla. A su paso, cesa todo ruido de animales en los bosques. Los perros enloquecen anunciando la llegada de la Santa Compaña aullando de forma lastimera y los gatos huyen asustados.

Al frente de esta compañía fantasmal se encuentra el *estadea* o *estádiga*, que es una persona viva provista de una cruz y un caldero de agua bendita, un incauto que se encontró con la ronda y al que el desgraciado que antes la presidía le pasó el testigo. Quien precede a la procesión será hombre o mujer dependiendo de si el patrón de su parroquia es santo o santa. El problema es que en Galicia todas tienen patrón y patrona, por si acaso. En la mía, San Pedro y Guadalupe; bendita igualdad. Quien realiza este oficio nocturno no recuerda durante el día lo ocurrido en el transcurso de la noche, pero se reconoce a las personas penadas con este castigo por su extremada delgadez y palidez. Cada noche su luz será más intensa y cada día aumenta su lividez. No les permiten descansar ninguna noche, su salud se va debilitando hasta enfermar sin que nadie sepa las causas de tan misterioso mal. Condenados a vagar noche tras noche hasta que mueran u otro incauto sea sorprendido y el *estádiga* le pase la cruz que porta. No todos los mortales cuentan con la facultad de contemplarla, siendo solo los niños a quienes el sacerdote, por error, ha bautizado usando óleo de los difuntos los que poseen de adultos la facultad de ver la aparición. Los demás podrán sentirla, intuirla con un escalofrío o notar su olor a cera y azufre.

San Adrián, en tierra firme, es un buen apoyo para el que se encuentre con esta hueste infernal llegada del mar. El vidente puede buscar su auxilio, entrando en su atrio, o agarrándose a un cruceiro. Para librarse de la maldición de sumarse a la peregrinación de la Santa Compaña podemos dibujar en el suelo un círculo y entrar en él o bien acostarnos boca abajo; o llevar una cruz encima, rezar sin escuchar los cánticos de la Santa Compaña o salir corriendo si el miedo no nos deja petrificados e indefensos. Esta es una leyenda común a todas las parroquias que cruzaremos en nuestro *Camiño dos Faros*, pero cada lugar tiene su encrucijada, su sendero sacramental infausto, en donde se acumulan durante los siglos las apariciones y testimonios. Hay fechas concretas en las que se registra una mayor incidencia de encuentros, como, por ejemplo la noche de Todos los Santos (1 de noviembre) o la noche de San Juan (24 de junio).

En este caso es el único camino marino que conocemos de la ronda, los demás son terrestres y bien trillados. El santo evita que esa gran abertura hacia el norte, por donde llegan malos espíritus a caballo de los fuertes vientos, sea una herida profunda que traiga grandes males a la humanidad. Es posible que estemos ante el paso general de las ánimas camino del gran santuario gallego en el norte mágico, San Andrés de Teixido, a donde van de muertos los que no visitaron el santuario de vivos. Aquí podremos ver culebras, lagartos y lagartijas ramoneando por el templo, pues estos animales son las encarnaciones de las ánimas que no cumplieron la promesa de visitar este lugar en vida. Por ese canal quiso huir la gran serpiente del monte Beo, posiblemente con ayuda de otros seres del inframundo llegados en su auxilio desde el norte; pero el valiente soldado san Adrián lo evitó, haciendo que la sierpe no pudiese alcanzar el mar y quedase enterrada. La isla, como tantas otras de nuestro litoral, tenía una capilla para protegerla del mal y resguardar su carácter sagrado. Dicha capilla era una ermita dedicada a Santa Mariña, la cual cristianizaba, una vez más, un entorno sagrado milenario.

Pasado el santuario del santo enemigo de la maldita culebra se halla el monte Beo y su castro, un antiguo poblado ártabro fortificado de la Edad del Hierro. Allí habitan los *mouros*, los antiguos dueños de la tierra, desposeídos por los humanos, por lo que no se recomienda ir de noche por aquellos parajes, siendo lo prudente ir de día acompañado y manteniendo la cautela. En el Bico do Castro, una *moura* enterró dos ollas, una de oro y otra de azufre.

Los buscadores de tesoros temen escarbar y encontrarse con la de azufre y envenenarse, por eso es mejor dejar el lugar tranquilo.

En Beo continuamos la ruta hacia Seiruga cruzando un pequeño regato que en invierno puede provocarnos una mojadura de pantorrillas: el río Vaa, nacido en el mítico monte Neme, morada de *meigas* temibles. Aguas arriba cuenta el río con molinos recuperados. Es un lugar ideal para ir de noche a *apañar gazafellos*. Los más jóvenes de estos lugares de Bergantiños suelen invitar a algún bisoño recién llegado a una jornada en busca de *gazafellos*, que en otras partes reciben el nombre de *"biosbardos"*. Para ello van armados con una hoz o un cuchillo y se acercan a la orilla de un río. Suele ser una inocentada, pues la expedición regresa siempre sin ninguna captura y con la risa irónica de los simpáticos anfitriones de tan particular cacería. Pero encierra una vez más la figura de uno de esos seres diminutos que la naturaleza mágica oculta en nuestros ríos y bosques, llegados de la larga noche de los tiempos, unas extrañas criaturas difíciles de encontrar. También en Francia es tradicional la caza del *dahu*, una broma que se gasta a niños e ingenuos.

Atravesamos la playa de Seiruga y llegamos a Barizo, con su playa y puerto de *percebeiros*, antes de comenzar el duro tramo del monte Nariga, que nos llevará hasta el moderno faro de Punta Nariga. El entorno está lleno de grandes formaciones rocosas de lo más variopintas. El de Punta Nariga es el primer gran faro que visitaremos en nuestro camino, ya que el de las Sisargas está en una isla, aunque en la época estival podremos acceder a este último sirviéndonos de embarcaciones motoras de las que podremos disponer en el puerto de Malpica. Al final de la etapa, recorreremos las Penas do Rubio por un tramo algo complicado hasta la Enseada do Lago, para finalizar en la playa de Niñóns.

Etapa 2: Niñóns-Ponteceso (26,1 Km)

Esta etapa de 26 km comienza en la playa de Niñóns, recorriendo precipicios rocosos hasta el puerto de Santa Mariña, que bordearemos para cruzar el monte en dirección a la playa de A Barda. Desde la playa de A Barda, atravesaremos toda la Costa da Tremosa por un sendero exigente pero de gratas vistas hasta la tradicional aldea de O Roncudo, con sus casas cegadas en dirección al viento. Desde la aldea pasando un parque eólico seguiremos los acantilados hasta el faro del cabo Roncudo. Las cruces blancas que jalonan la costa nos hablan de marineros muertos y de naufragios. Este tramo está estrechamente relacionado con la leyenda negra de la Costa da Morte.

Los vecinos de la aldea dicen que fue fundada por los *valugos*, gentes errantes y misteriosas, muchas veces vinculadas a ciudades sumergidas en conocidas lagunas. En la tradición local, proceden del lugar de Gunxín. Como venían con el ganado a este paraje, comenzaron a levantar chozas para no tener que regresar todos los días a casa. Luego trajeron a sus mujeres y comenzaron a morar en esos lares definitivamente. Los *valugos,* o *valuros* en otras partes de Galicia, aparecen como peregrinos llegados de poblaciones malditas, a veces citadas como Valuria o la famosa y ubicua Valverde. Se les describe como gentes oscuras que visten ropajes negros imitando a los frailes. Son aprendices de *meigos*, vendedores de conjuros y ensalmos, y limosneros. En la ría de Camariñas se los confunde con otra población errante y maldita de feriantes y malabaristas: *"os tarughos"*

Por este gran promontorio se extiende un conjunto de piedras grabadas; petroglifos prehistóricos de la Edad del Bronce que nos hablan de un enclave ritual. Una porción de tierra que penetra en el mar como si fuese un espacio de ningún lugar (no es tierra, no es mar), un territorio sagrado donde habitaban antiguas divinidades que conservarán algunos de sus santuarios bajo el sincretismo de nuevas advocaciones cristianas.

Los marineros de Corme invocaban a Nuestra Señora de O Faro con su oratorio en lo alto de su monte. Allí celebran romería el 8 de septiembre, una semana muy especial en el culto mariano con fuertes raíces precristianas en Galicia: la Soberana Señora de la cosecha. En las fechas de la festividad se da el cambio de estación, cuando muda el mar y con él todos los elementos climáticos. La espigada columna en lo alto del monte es bien visible y allí se conservaba el rito de *"cambiar a tella"*. Unas mujeres movían las tejas de la capilla para atraer los buenos vientos, propiciadores de la entrada de los barcos a puerto, cuando los hombres en el mar estaban en peligro.

Otro de los picos que bordean la ría es el monte Ardal. En su cima, en el Bico da Casavella se refugia un encanto entre unos grandes peñascos. En las ruinas de un casal habita una *moura* vieja que peina sus blancos cabellos con un peine de oro. Dicen que posiblemente sea una dama encantada, y que tras su rostro arrugado y sus canas se oculte una doncella a la que un arriesgado galán puede desencantar si atiende a sus demandas. Cerca aparece el castro de Nemeño, llamado por el gran bardo Eduardo

Pondal "*o rei dos castros*", el cual era el mayor y más dominante fortín ártabro en la zona cuando *mouros* y humanos aún convivían.

Cabo Roncudo

Desde el faro de Roncudo nos dirigiremos al interior de la ría. Entraremos en el puerto pesquero de Corme, camino de la playa de Valarés, pasando por las playas del Osmo, de la Ermida y de Río Covo. Corme, dividida en una aldea labriega y una villa marinera, fue el lugar de origen de patrones de cabotaje que llevaban en sus veleros mercancía de todo tipo por el Cantábrico, y bajaban al Mediterráneo. En el siglo pasado estos marineros siguieron manteniendo esta aureola hasta que la pesca y el marisqueo fueron cobrando mayor protagonismo. Aquí nació el almirante Mourelle, uno de los marinos ilustres de la última gran generación de nuestra Real Armada, la que fue arrasada en Trafalgar. Estamos en otra tierra bendecida por la fecunda acción de san Adrián. Dicen en Corme que su culto en el lugar era anterior al de Malpica, cuyo patrón es san Julián. En la aldea de Corme, antes de la actual iglesia, existió una capilla de Santo Hadrián Vello en el lugar de Froxán. Las dos parroquias de Corme formaban en el Antiguo Régimen una sola bajo el patrocinio del santo militar. Sabemos que san Adrián eliminó la peste de las serpientes que dominaban estos parajes. En el lugar de Gondomil, la Pedra da Serpe es la muestra de esta gran batalla entre el santo héroe y los seres que ahora pueblan el inframundo. Como he comentado, en un cruce de caminos vemos esta roca erosionada con la figura grabada de una serpiente con alas sobre la que fue colocada una cruz. En los lugares de alrededor hablan de como aquella zona era un gran bosque invadido por cobras que atacaban a los caminantes y a los vecinos de otras aldeas hasta que llegó santo Hadrián Vello con una tropa de romanos y las expulsó. Es una nueva versión del relato del santo como único enemigo de los reptiles, a los que venció con su mágica pisada. En este caso, las serpientes protegen el lugar de las intrusiones de los forasteros, adquiriendo así un matiz positivo, pero incluso en esas circunstancias nada pueden con la nueva religión, con el nuevo poder de la cruz.

En Corme-Aldea hallamos el castro de A Barda a la orilla del mar. En él hay un gran pozo con encantos y casas en donde habitaban los *mouros*. En el vecino lugar de Cerezo, al pie de su castro, está la finca de O Foxo, una trinchera de los *mouros*. En un finca próxima, en Cerezo de Riba, los *mouros* trabajaban en una fábrica de cerámica, pues según los vecinos, en A Caleira y Agra dos Romero hallaron restos de su peculiar alfarería. ¡Quién sabe si esos seres de "algún día" no enseñaron su oficio a los *oleiros* de Buño y Leiloio!

Bajamos al puerto. En la playa del Osmo hay una gran gruta marina, es una de las bocas del infierno, porque en ciertos días y a ciertas horas corremos el peligro de ser arrastrados por un orco, un ogro, una criatura cruel. Ahora vamos a la playa de A Ermida y en la Illa da Estrela (isla de la estrella) volvemos a encontrar más leyendas gemelas a otras de espacios insulares del Mar Celta. Aquí hubo una capilla dedicada a la Virgen de A Estrela, quien provocaba la bajada del mar para que acudiesen los romeros el día de resurrección. A su lado quedan restos de dos *cromlechs*, dos círculos líticos donde se reunían en los días aciagos las *meigas*. En la capilla se veneraba también a la Virgen de As Neves y a san Andrés. La fiesta principal era el lunes de Pascua. Los vecinos de Corme vieron brillar una luz cerca de la playa de A Ermida y cuando se acercaron a comprobar el suceso, encontraron a la virgen. La intentaron llevar para el pueblo, pero la virgen por su mano regresó a la isla. Por eso, decidieron levantarle allí una capilla. La isla había sido habitada en época prerromana y quedan restos de un castro insular ártabro como los de O Castelo de Touriñán o el de Dor. En la isla se enterraban los cadáveres que devolvía el mar cuando no se sabía que religión profesaban. Son islas occidentales femeninas de *meigas*, el espacio insular de ámbito sobrenatural de la diosa madre céltica

Anu o Dana, lugar privilegiado de apariciones de mujeres extraordinarias, abundantes en el mundo céltico; pero la mayor concentración de islas sagradas, cristianizadas por capillas y romerías, se encuentra en Galicia. Toda su costa es un Alén mítico, afamado en todo el continente desde la prehistoria, y las leyendas son el residuo de su antiguo poder.

Una leyenda local nos advierte que en la playa de A Ermida, enfrente a la isla, vivían unas gentes que tenían un rey, pero llegaron *os mouros* y destruyeron la ciudad a pedradas.

Detrás de las dunas de la playa de A Ermida hubo en tiempos unas brañas, un terreno pantanoso, ya que como en otros lugares gallegos aparece aquí la leyenda de la laguna de Valverde. Queda el topónimo de Brañas de Gondomil en recuerdo de este lago. En la playa lucía una ciudad hermosa en la que todos eran paganos lujuriosos y perversos excepto una anciana que adoraba a Jesucristo y rezaba por la conversión de la impía urbe. Era la vecina más humilde y pobre, rodeada de ricas casas y palacios de gente pudiente. Un día, cuando estaba orando en la isla, se le apareció la Virgen María y le avisó para que huyera hacia el monte de Gondomil, pero sin mirar hacia atrás hasta alcanzar la cumbre, porque el mar iba a subir tanto que la ciudad quedaría inundada. Así sucedió; al llegar la mujer a la cima ya no existía la ciudad, que quedó convertida en un inmenso arenal. De nuevo en esta costa de relatos orales conservados por nuestros mayores se apunta al carácter de lugar cultual de la Illa da Estrela, a la presencia de una divinidad femenina, de restos arqueológicos; o a la protección que ofrecen a los creyentes las telúricas tierras del lugar de Gondomil, bien por los antiguas dioses como por los santos de la era cristiana.

Salimos de la playa de A Ermida y de Río Covo por un estrecho sendero sobre la ría hasta los farallones del monte da Facha y Valarés, donde podemos hacer una parada para disfrutar de su playa y pinar. Aquí hubo importantes labores mineras en el siglo pasado, especialmente de titanio; pero también embarcaban wolframio los nazis. En Valarés existió otra capilla de Santa Mariña con una concurrida romería que luego pasó a la parroquial de Cospindo. En el siglo XIX se construyó una nueva ermita dedicada a la santa, que por mano de frailes tanta devoción tiene en esta costa, en el relleno de Ponteceso. En Brantuas recuerdan cómo llegó hecho unos zorros su cura a la rectoral tras ser arrastrado y apaleado por brujas. Pero cuando se recuperó, a base de *"sopas de viño tinto e follados con tallada"*, las reconoció y las desterró de la parroquia. Para ello depositó alfileres y monedas de plata en la pila bautismal, porque así las *meigas* no salen del templo. La más maléfica de las brujas de las orillas del río Anllóns es la Mirta, causante de plagas de pulgas y piojos. Una vez mató a veintidós vacas de un ganadero que la evitó e hizo caer a un buey muerto en el agro.

El valle de Brantuas es un terreno abonado a las apariciones y guarda viejas memorias de cuando los *xalleiros* (arrieros) de Santa Comba venían con sus reatas de mulas a estos pagos a buscar sal, arena, pescado o potes de Buño para llevar por todo el reino y a Castilla y Portugal. Nadie mejor que estos *xalleiros*, a los que tanto he tratado, para hablarnos de *meigas* y apariciones, pues muchas veces las encontraron en el camino. Por eso los supervivientes del oficio saben cómo protegerse de las *meigas* nocturnas, expectantes en bosques y encrucijadas. Saben que no deben detenerse ante la visión ni prestar atención a mujeres solas o en grupos de tres que ronden la noche. Un famoso *xalleiro* retirado era el *"lareteiro"* criado de la casa Pondal, que una vez vio salir A Rolda de la iglesia de Canduas. Eran solo luces rojas en formación que pueden llevar a quien las encuentre en el camino, y que una vez cautivo de su luz, la seguirá siempre. Para evitarlo, el *xalleiro* llevaba un pedazo de pan de broa y se puso a comer. Hay que entretenerse en algo, en una ocupación, para que pase de largo el cortejo. Entre las almas había un perro con un ruidoso cascabel. Efectivamente, a veces la Santa Compaña no forma una especie de entierro, sino que solo vemos luces, y puede llevar un perro. Así me lo confirmaron otros testigos. Estas luces pueden andar solas y asustar a los caminantes. Suelen verse en el camino viejo entre Arou y Camelle, en Campolongo, en los molinos de Ponte do Porto y en el rio Negro de Moraime. En el monte Pindo surge en el sendero a la cueva del tesoro de la Reina Lupa, una mano abierta flotando en el aire que desprende una luz intermitente. Al padre del criado de los Pondal, mientras descansaba bajo un carballo a la caída de la noche, le ataron la recua de mulas las *meigas*; pero él las vio y con el *"pao da moca"* anduvo a vareadas con las tres de tal forma que le imploraban perdón. No lo volvieron a molestar.

El final de la etapa por el monte Branco, coronado de arena, nos acerca a la desembocadura del Anllóns, que nos ofrece una vista privilegiada de la isla Tiñosa, las dunas y de la playa de A Barra, que se encuentra en plena ensenada da Insua, un lugar de gran importancia ornitológica. Desde allí recorreremos al borde de los anchos juncales todo el malecón de Ponteceso hasta el puente y la casa del bardo Eduardo Pondal, autor del *Himno Gallego*. Su pazo mira a las marismas del Xungal Grande. En el Xungal Pequeno comienza el estero del río, y enfrente veremos el monte de San Sebastián. Allí hubo una capilla dedicada a este santo, protector contra la peste. El bardo Pondal nos dejó escrito en el siglo XIX que donde el río hace un recodo se ubica el Pozo da Xerpa (serpiente). En dicho pozo se esconde un encanto, una sirena, mitad culebra mitad mujer, que fascina y ahoga a los que la miran a los ojos. Esta criatura se alimenta de *mazaricos*, curiosas aves limícolas que pueblan una *xunqueira* que pertenecía a los antiguos monjes de Almerezo. Pondal asimismo recogió en su día que cerca del islote de A Tiñosa se encuentra la cueva marina o *furna* de Cal Vaqueiro, residencia de una princesa *moura* encantada que enseña al visitante una mesa de oro llena de brillantes y joyas. Bordeando los barrancos costeros crecen unos singulares rosales silvestres, ofrenda quizás de algún incauto que quiso desencantar a la princesa.

Etapa 3: Ponteceso-Laxe (25,2 Km)

La tercera etapa del *Camiño dos Faros* parte del estuario del Anllóns, y nos lleva por toda la costa y el interior de las históricas tierras de Cabana para acabar en el turístico puerto marinero de Laxe. El primer kilómetro de la etapa discurre por el arcén de la carretera general de Ponteceso a Laxe, que atravesaremos por un cruce a la derecha para meternos dentro de la Enseada da Insua y recorrer sus pinares hasta O Curro y la Praia da Urixeira. Desde allí parte la Senda do Anllóns, un paseo de 3 km hasta O Lodeiro, un magnífico punto de avistamiento de aves.

La parroquia de O Esto, bañada por el Anllóns y su afluente el rio Cundíns, nos sorprende con varios testimonios de la cultura popular y de nuestra rica mitología. En el castro de Beres vivían *os mouros* y allí sacaban las mulas para beber en el río, donde hace una revuelta. Por debajo del castro se escuchaba un ruido, una extraña resonancia, como andar sobre un enlosado, porque al parecer los *mouros* llevaban las mulas por una senda subterránea.

Otra narración nos recuerda que en una vereda por encima del castro solían aparecerse encantos y que en la víspera de San Juan salía una gallina negra con sus polluelos que enseguida desaparecía. En O Esto se ubica la Pena de San Xoán, una roca de color blanco. En la mañana de San Juan, cuando el sol baila, aparece dibujada una cruz en la peña. Los hombres que madrugaban para ver a los *meigos pedreiros* (magos canteros) mientras grababan la cruz quedaban profundamente dormidos y por eso nadie pudo ver a los misteriosos artesanos trabajando.

La parroquia de Cesullas celebra una de las más conocidas y tradicionales romerías gallegas, la de San Fins do Castro, el primero de agosto. Una ermita cristianiza el campo sacro de un castro y un bosque mágico reúne a cientos de romeros que pasan la tarde comiendo en torno al santo y a la Tabla, la reunión de párrocos del arciprestazgo de Soneira. Tras la misa se celebra el ritual de *"O berro seco"*, donde el cura invita a los presentes a lanzar un grito similar al que hacían los viejos canteros cuando levantaban sus piedras. Existe una fuente santa para curar verrugas, lavándolas con un paño que luego se pone a secar. La capilla actual sustituyó a una anterior. Según el relato oral, un joven que iba a rezar a la antigua capilla fue sorprendido por una tormenta terrible. Llovió tanto que tuvo que subirse al tejado, y cuando el agua llegaba casi a cubrirla prometió construir una nueva con la entrada mirando hacia el este. Enseguida dejó de llover y el mozo cumplió su promesa, por eso la iglesia actual está orientada al revés que las tradicionales.

En el lugar de Pedracuca se conserva una casa blasonada llamada Cárcere dos Curas (la cárcel de los curas). Se cuenta que fue mandada construir por un sacerdote para su hija, que se casó con un escribano. ¿Para encerrarla? En el monte Pena Santa se encuentra el santuario de la virgen de A Eirita, cuya fuente santa cura verrugas y bultos. Había por costumbre en este santuario hacer rogativas para que cambiara el tiempo. Para invocar las lluvias se reunían las vírgenes de tres iglesias del *Concello* de Cabana: las de Nantón, Cesullas y A Eirita; portadas en procesión a la fuente santa de A

Eirita. Cuando las tres imágenes retornaban a sus santuarios, comenzaba a llover. Cuando se deseaba el buen tiempo, subían la virgen de A Eirita a la Pena Santa. Un vecino del lugar era el encargado de organizar la rogativa. Generalmente, los garantes de estos ritos se lo tenían que trasmitir a otros, eran dueños de un don que se perdía si no había una entrega por parte del iniciado al *herdeiro*. Lo mismo sucede en el rito de *"virar a tella"* en Carnés (Vimianzo), a cargo de mujeres. En la zona interior de Cabana, a las faldas del monte Perrol, se yergue la Torre da Penela, una fortaleza medieval. Al lado de la torre, una fuente de dos caños vierte agua sobre una pila en forma de sarcófago. Allí habita un encanto, que puede aparecer en forma de *fada* (hada), culebra o de huevo que da brincos.

La construcción de la torre guarda su leyenda. Cuentan que los soldados retenían a una hermosa joven en la cárcel de la torre. En un momento en el que sus captores se distrajeron, esta logró huir, pero los soldados le dieron muerte al pie del cruceiro. Los lugareños al ver tal suceso empezaron a exclamar: "¡ *pena dela, pena dela* !" (qué pena de ella). Por eso, ahora la aldea y su torre se conocen con el nombre de Penela.

Al final del paseo de Cabana, al llegar a As Grelas, penetramos en el interior por una subida exigente por la Ruta do Rego dos Muíños hasta el castro A Cibda y el dolmen de Dombate, dos joyas arqueológicas de A Costa da Morte, los mejor conservados y acondicionados para su visita, donde varias campañas arqueológicas sacaron a la luz un

valioso patrimonio. Son los mejores ejemplos berganti-
ñanos de la dos culturas prehistóricas que más huella dejaron en Galicia: la megalítica y la castreña. Dólmenes y
castros siempre aparecen en la cultura popular rodeados
de una aureola mágica que los muestran como habitáculos
de legendarias criaturas. Al dolmen de Dombate le llaman
la catedral megalítica de Galicia. En el castro A Cibdá de
Borneiro vivían los *mouros* en las casas que hoy se pueden
ver tras las excavaciones. Desde *a cibdá* hasta el otro castro
de Borneiro ubicado en una alta montaña la leyenda dice
que va una viga de oro todo a lo largo.

Dolmen de Dombate

Cerca de esta aldea, camino de Baio, se levantó el santuario del Carme do Briño, con una famosa romería que
se celebra el 18 de julio en un bosque mágico de robles,
una *carballeira*. Su fuente santa saca el mal de aire y cura
enfermedades oculares.

Desde Dombate tomaremos de nuevo dirección a la costa, desviándonos en Fontefría para subir al monte Castelo, la cima de este *Camiño dos Faros* con 312 metros. Allí contemplamos las mejores vistas panorámicas de la ría de Corme y Laxe. En el monte hay un castro habitado por *mouros*. Según la leyenda, un túnel comunica este castro con el de A Cibdá de Borneiro. El rey *mouro* del monte Castelo conserva su particular altar pétreo en forma de dolmen natural, llamado Niño dos Corvos o Igrexa dos Lobos (nido de cuervos o iglesia de lobos). Allí reúne el *rex* a su hueste del inframundo, sus bravos guerreros de otro tiempo, ahora reencarnados en cuervos y lobos.

Desde esta cima bajaremos por Canduas en dirección a la playa de Area das Vacas, a la cual no llegaremos, pues antes habremos de tomar un cruce que nos llevará por la Costa da Mundiña a la playa de Rebordelo. A Telleira es un enclave histórico de construcción de barcos, y alguna de las antiguas carpinterías de ribera aún pervive en la actualidad. Durante el siglo XX eran muchos los barcos pesqueros y de cabotaje que salían de sus astilleros.

Entre las numerosas anécdotas de la navegación por este curso hay una de mediados del siglo pasado. Sucedió cuando el mercante gallego "Compostelano", sito en el puerto de Laxe, soltó amarras y se internó deambulando por el tortuoso estero del río Anllóns. Su tripulación, borracha, se había quedado en las tabernas portuarias, por ello el barco iba sin rumbo hacia un previsible desenlace fatal. Sin embargo, ante el asombro de todos, la nave siguió una derrota impecable entre los bancos de arena hasta varar sin peligro en A Telleira. Cuando los vecinos subieron a bordo vieron que en la cabina del patrón se encontraba un gato cómodamente sentado al mando. Es el famoso gato capitán del "Compostelano".

Estero del Anllóns

La última parte de la etapa nos lleva a la Punta do Cabalo, que ofrece unas gratas vistas de toda la ría. Seguiremos por la costa pasando el hermoso Coído de Frexufre antes de alcanzar Laxe, al que llegaremos bordeando su extensa playa dorada hasta la plaza del pueblo, final de esta tercera etapa del *Camiño dos Faros*. A la entrada del magnífico arenal quedan vestigios de las importantes minas de caolín. Un transporte por cable atravesaba el valle de Serantes hasta las minas de Coens. Allí, en la aldea de Aplazaduiro, señorea el pazo de los Mariño de Lobeira. Los Mariño son descendientes de la sirena Mariña, por eso en sus piedras armeras figura esta mítica especie. Es una conocida leyenda gallega que nos habla del origen del linaje en la isla de Sálvora. El conde Froilaz, joven y soltero, aficionado a la caza, andaba de partida con tres escuderos cuando en un paraje de la costa observó a una dama que parecía dormida y desnuda, pero no le vio las piernas al estar estas tapadas por las rocas. Intentó acercarse, pero el caballo al pisar las arenas piafó asustando a la doncella, que intentó arrojarse al agua, descubriendo así su naturaleza de sirena, más no consiguió llegar al mar, pues antes la apresaron los guardias del conde, que la cubrieron con un tabardo y la llevaron a caballo como un fardo. En el castillo fue atendida y bautizada con el nombre de Mariña. El conde, embelesado con ella, la desposó, naciendo de esta unión un hijo: el primero de los Mariño.

El castro de Lourido en la parroquia de Serantes otea este trozo final. Era lugar de *mouros*. Allí en una cueva se resguardaba una vieja hilando en la roca, porque es un encanto. Debajo se encuentran una viga de oro y otra de azufre muy arrimadas. Por eso la gente no excava en esa zona, pues temen encontrase con el *xofre* al pretender el oro.

En Laxe pasó su infancia el segundo conde de Altamira don Rodrigo Osorio de Moscoso con su madre, viuda de un noble capitán de los rebeldes *irmandiños* de 1467, que dejaron a Galicia durante dos años sin señores ni obispos, ni misas, ni oficios fúnebres. El conde, famoso compositor y músico de viola, fue el último de la poderosa casa de Altamira que frecuentó el castillo de Vimianzo y sus fueros finisterranos. Murió en el sitio de Orán al frente de la infantería del cardenal Cisneros.

En una huerta cerca de la iglesia gótica de Laxe hay una tumba: la de Francisca Dovell, de 47 años, y su hijo Guillermo Enrique Quartly Dovell, de 12, ambos muertos en el naufragio de la goleta Adelaide de Bristol el 19 de diciembre de 1850. El afligido esposo y padre, el capitán Guillermo Dovell, pasó mucho tiempo biblia en mano vagando por la playa y la atalaya recordando a sus parientes. Volvía cada lustro a Laxe para colocar una flor y una oración en la tumba y, al parecer, aún después de su muerte se seguía viendo su silueta nocturna por el arenal, biblia en mano, con alto copete y esclavina escarlata. Sigue habiendo flores sobre la sepultura.

Etapa 4: Laxe-Arou (17,7 Km)

Esta cuarta etapa comienza en Laxe, visitando el puerto y la iglesia de Santa María da Atalaia, para, desde allí, dirigirnos al faro por la Ruta da Insua. Desde el faro gozaremos de una amplia panorámica de la ría de Corme y Laxe. Muy cerca del pequeño farol disfrutaremos de dos curiosidades de la naturaleza: la Furna da Escuma y la playa de los Cristales. A partir de ahí, iniciaremos una senda por la Enseada da Baleeira hasta el Peñón de Soesto, con vistas de toda la Ruta da Insua y de la playa de Soesto, uno de los paraísos del *surf* comarcal.

En Soesto nació Hernando de Lema, capitán de caballos con Hernán Cortés cuando el conquistador entró en la capital azteca, y el cura liberal Juan Antonio Posse, muerto en 1854. También dio cobijo al rey leonés Alfonso IX y su extensa comitiva en su viaje de 1228, en el que atravesó buena parte del *Camiño dos Faros*.

Desde Soesto recorremos la Punta do Catasol y la playa de Arnado para llegar a la playa y las lagunas de Traba, donde anidan multitud de aves. En Traba se irguió desde la Alta Edad Media la principal torre defensiva de la comarca, gobernada por los condes de Traba, importante linaje medieval siempre al lado de los reyes galaico-leoneses. Dos de los hombres de la casa fueron cruzados en Tierra Santa, *frates* del Temple; y las mujeres del clan apoyaron intensamente el monacato de esta zona y el peculiar románico de sus iglesias. La Orden del Temple tuvo un fuerte impulso en Galicia gracias a los Traba, que donaron a la Orden del Santo Sepulcro de Jerusalén la vecina Pasarela. Los restos de su castillo roqueño en A

Torre da Moa son hoy patrimonio de *toxos e lendas,* refugio de águilas, cuervos y lobos. Aquí vivieron los *mouros,* pero los mayores de la aldea cuentan que también existió una iglesia antigua de los gentiles, y por eso se ven en las alturas pedazos de tejas, conchas de moluscos y huesos, restos de comidas de los banquetes de aquellos ancestros.

Desde la Torre da Moa hay un túnel que va a la iglesia de Santiago de Traba. Este espectacular peñasco recibe su nombre por tener forma de muela de molino (*moa*). Cuentan que formaba parte de la aceña de un gigante, protector del castro, que con ella sacaba la harina para el enorme *molete de pan branco* que lo alimentaba. Recordamos un testimonio oral del mundo celta, del que este gigante con su enorme rueda de piedra podría ser reliquia. Un molino en el fondo del mar fabrica la sal de la vida para toda la eternidad y los cuentos de *sirenés, sorciéres, fées, korrigans, revenants, a ronda, o trasno* y *os mouros,* relatos que van y vienen por el mar de los celtas, el Cantábrico, la *Bay of Biscay.*

De todas las fábulas de lagunas encantadas de esta comarca, la más famosa es la de la ciudad de Valverde de Traba de Laxe, la cual sigue los parámetros de sus hermanas gallegas, irlandesas y bretonas. El relato popular y original explica cómo llegó a la ciudad de Valverde, en medio del fecundo valle de Traba, el Apóstol Santiago vestido de humilde peregrino pidiendo posada. Ningún vecino accedió a darle hospitalidad, tan solo una mujer, la más pobre y necesitada. Al día siguiente, el apóstol le pidió a esta caritativa señora que le acompañara, y al llegar a la Torre da Moa los dos observaron la desaparición de la villa bajo las aguas, naciendo la laguna en su lugar. Desde entonces, en días como la víspera de San Juan, se escucha el campanario de la iglesia, o en días de clara transparencia vemos su torre. Curiosamente, la casa rectoral de la parroquia estaba en un lugar llamado Valverde. En la vecina Camelle cuentan que apareció hace muchos años (en *tempos* de algún día) un barco cuya tripulación preguntó por la ciudad de Valverde y como les informaron que había desaparecido hacía tiempo, la nave izó las velas y se marchó.

Hay otra memoria con un toque más romanceado que habla del asedio a la pagana ciudad de Valverde por el ejército de Carlomagno, guiado por Santiago. Dios le concedió la gracia al católico emperador de una hora más de día después de la puesta del sol (*solpor*), para darle tiempo a tomar la impía ciudad. Hizo una gran matanza de infieles, salvando solo a los niños inocentes, que fueron bautizados. La ira de Dios inundó las ruinas, convertidas ahora en una laguna maldita de peces negros como el carbón.

Otra narración nos llegó de la mano del cardenal Jerónimo del Hoyo, en sus *Memorias*. Es otro de los viajeros eruditos del *Camiño dos Faros*, cuyas parroquias atravesó y describió, dejando su testimonio escrito en 1607. Siendo visitador de la mitra compostelana, dejó anotado Del Hoyo un episodio de los tiempos de Drake, el *draco*. En una de las incursiones inglesas a nuestras aldeas, un soldado escocés entró en la iglesia de Traba para robar la caja de plata de la custodia. Allí no encontró el santísimo sacramento, pero lo halló envuelto en un tafetán azul. El soldado consumió la hostia y guardó el tafetán en el pecho. Acabada de tragar la sagrada forma el marino reventó por la ingle y como un perro rabioso se arrastró por el suelo hasta que murió. Los feligreses arrojaron su cuerpo a un agujero y lo cubrieron con piedras. A pesar de limpiar y echar cal en el lugar donde reventara, era tan grande el hedor que en dos meses no se pudo misar.

Desde Mórdomo, al final de la playa de Traba, sale un camino que nos llevará por otro paisaje espectacular hasta la cala de Sabadelle, antiguo puerto ballenero. Los *penedos* de Traba-Pasarela y los montes de Camelle parten de una cordillera marina llamada sierra de Pena Forcada, la cual muestra una gran variedad de formas erosionadas que levantaron la imaginación de las gentes, dándoles nombres de conejos, camellos, cabezas de oso, águilas, tortugas, manos, payasos, frailes y damas. En el Prado das Vellas se reúnen las brujas en el *parlamento das meigas*, una especie de aquelarre que se convoca en ciertos días funestos. La Pedra do Home es un gigante petrificado, al que no se debe molestar. Estos *homes* (hombres) de piedra son varios en el tramo entre Sabadelle y Vilán. Hay un Home de Lazo y un Home do Curbeiro, que son altas cimas que sirvieron de atalayas y parecen menhires desde lejos. En todos los casos, su entorno se rodea con una aureola mágica, incluso con cierto temor de los vecinos a acercarse a sus alturas. Son como viejos semidioses vigilando sus cumbres borrascosas. En la Pedra do Frade, un fraile del convento de Santa Mariña yendo con su burra se vio atacado por los lobos, que comieron burra y fraile.

Camelle

En Sabadelle, además de sus dos *coídos* (playas de cantos rodados) aún quedan las ruinas de su casal, posado en el camino costero que llevaba romeros a la fiesta de los Milagros de Traba o los traía a la del Espíritu Santo de Camelle. Fue lugar de contrabando y bandoleros. Cuentan de los restos de un viejo edifico llamado A Casa do Pote de Ouro, en donde se ocultaba un cuenco de oro. También cuenta con una roca con las marcas de dos pisadas, las de los pies del Apóstol o del mismo Cristo, por eso es llamada *"O pe do santo"*.

Sabadelle pertenece a la parroquia de Carantoña (Vimianzo), y el pequeño cauce que atraviesa el lugar delimita con el *concello* de Camariñas. Al *coído* del Porto da Señora bajaban los caminos carreteros de Carantoña, en donde abundan las casas de *mouros* (dólmenes). De

Carantoña era la *meiga* mayor Beatriz Fernández, torturada y muerta por la justicia de Laxe en 1611. Declaró que contaba con trescientos acólitos. En este *coído, noutros tempos* las serpientes andaban de pie asustando y atacando a los humanos que solían acercarse a *dar o baño*, hasta que una mordió los pies de una señora, que no era otra que la Virgen María, quien las condenó a arrastrase por el mundo hasta el fin de los tiempos.

Según el *Ciprianillo* (*Libro Magno de San Cipriano,* tesoro del hechicero) Sabadelle era uno de los lugares que ocultaban un tesoro de *mouros,* lo que encaja con la leyenda local del *pote de ouro.* Otros puntos de la comarca que cita este famosísimo y prohibido libro son: Corcubión, San Pedro Mártir, Fontecada, Canedo y Louro. La cruz de San Ciprián y San Bartolo nos ayuda a desentrañar estas fortunas de *mouros.*

Entraremos en la parroquia del Espíritu Santo de Camelle, puerto pesquero que fue base de almacenes de salazón, desguaces y puestos de salvamento marítimo. Aquí el patrón de la feligresía conserva su historia dorada. La imagen apareció en un bote, en una cala llamada Area do Bote. Como el lugar hasta hace cincuenta años pertenecía a la parroquia de San Pedro do Porto (Ponte do Porto), el cura mandó que trasladaran la imagen a la iglesia parroquial, a una legua. Pero los portadores del icono, al subir la Costa do Rodeiro, sintieron un peso tan excesivo que debieron posar las andas en un *aplazaduiro* del camino sacramental donde solían detenerse los entierros para descansar en su largo camino al cementerio parroquial de A Grixa. Notando que el santo pesaba cada vez más, decidieron retornar a Camelle y levantar un templo en donde hasta hace medio siglo se celebraba en Pentecostés una sonada romería tradicional.

Otro cuento "razonado" nos explica que la imagen aparecida una noche de marejada dentro de una barca, al haber sido sustituida en una reforma por otra nueva y de mayor tamaño, el párroco intentó llevarla a Ponte do Porto; pero en el traslado al subir a Costa do Rodeiro se volvió tan pesada que los porteadores tuvieron que regresar.

Hasta el lugar de O Rodeiro precisamente solían traer los de Carantoña a su patrón, san Martiño, porque desde aquella altura contemplaba el mar. Este rito se hacía para atraer las lluvias, o también cuando alguna peste arrasaba las cosechas. A finales del siglo pasado aún se celebraron varias rogativas, efectivas según los testigos. Antes de 1970, el santo se acercaba a la cala de Sabadelle en donde *tomaba o baño*, pero el cura prohibió este uso porque se despintaba. Vecinos del *concello* de Vimianzo solían ir a por un bolo (canto rodado) a este *coído* para colocar en el corral de las gallinas, cuando estas no ponían huevos.

Algunas calles de Camelle recuerdan personajes mitológicos o viejas historias de mar y tierra. La toponimia nos deriva al nombre de una voz germánica, pues estamos en el antiguo reino de los suevos. Sería el casal de un Camaellus o Camilo (Camaelli), siendo este un nombre frecuente en el mundo latino para los eremitas y sacristanes. Podría ser el custodio de un viejo santuario de los tiempos de los monjes de Santa Mariña do Tosto, dueños de extensas tierras en este tramo costero. La toponimia local conserva *una rúa do Flaire* (fraile). También una calle de O Inghrés. Según el repertorio local, un inglés naufrago que se asentó en el pueblo. Estas memorias relacionadas con naufragios apuntan igualmente a una tradición que hablaba del enterramiento de marinos franceses en el llamado cementerio de A Portela, un lugar que aún presenta restos de sus muros, pero que fue habilitado por el *concello* de Camariñas para enterrar algunos cadáveres recuperados del mercante inglés *City of Agra*, hundido en 1897. El rastro de cientos de barcos caídos en estas aguas llevó a los relatos de algunos tesoros que siguen en el fondo del mar con sus pecios centenarios. El trágico recuento de más de tres mil naufragios sucedidos en la costa gallega dejó una emotiva señal, las campanas de barcos en las iglesias de este tramo: la del "Agra2 en Camelle, "Nil" en Arou, "María Laar" en Santa Rosa de Laxe, "Angélica Schulte" en la Virxe do Monte.

Y en el callejero de Camelle hay una rúa da Tarasca, que hace mención a una serpiente marina que atemorizaba al pueblo hasta que un monaguillo del santuario del Espíritu Santo la mató de una pedrada con un *bolo* mojado en agua bendita. En otra versión se trataba de un descomunal lagarto que sentía predilección *polas mociñas novas* que el pueblo, con ayuda de San Miguel, acorraló en un curro y dio muerte.

Camelle es otro punto clave de la ruta. Entraremos por su playa y pequeño puerto pesquero para llegar al muelle donde están los restos del Museo de Man, el artista y eremita alemán Manfred Gnadinguer. Desde allí, el final de la etapa nos acerca por pequeños caminos costeros hasta Arou, donde termina esta corta cuarta etapa. Actualmente no hay un faro en este fin del paseo, aunque como tal se puede entender la baliza del dique de Camelle. En la llamada Edad Moderna sí hubo un farol o *facho* en una casa del lugar de A Portela y en el cabo Tosto.

Etapa 5: Arou-Camariñas (22,7 Km)

En esta etapa transitaremos por el corazón de *O Camiño dos Faros* y de A Costa da Morte, la etapa reina de la ruta, dentro del *concello* de Camariñas. Una costa abrupta y llena de historia hasta el majestuoso cabo Vilán y la villa de Camariñas, que se despierta con el sonido de los bolillos de las *palilleiras* entre redes de cerco y *casiñas brancas*.

La costa que va desde Arou a Cabo Vilán es el tramo original de la llamada Costa da Morte, donde nació su nombre. Arou, tierra de *percebeiros*, tiene una aureola de aldea antigua dentro del arciprestazgo de Nemancos, al que pertenecen las feligresías de Camariñas y las que nos quedan en la ruta. Aquí hay un santuario dedicado a San Bartolomé que el 24 de agosto celebra una multitudinaria romería aún vigente. Es esta la única romería de la zona y se celebra en un arenal con una gran comida campestre. La tradición llevaba a los romeros a tomar sus aguas curativas bendecidas por el patrón. Ese día no se puede trabajar porque *O Demo*, un diablillo travieso, anda suelto por el mundo 24 horas y hace todo tipo de travesuras. Mi abuela me contaba como de niña, no pocas veces, a ella y sus compañeras *O Demo* les *estragaba o alghaso* (algas) recogidas durante la mañana. Los teatros de operaciones predilectos de esta criatura eran la playa de O Curro o A Lagoa. Del mismo modo, los vecinos explican que su San Bartolo fue castigado por Dios al destierro a este lejano rincón porque se rebeló cuando la Iglesia propuso *capar aos curas*. Otra leyenda explica que a Arou traían a enterrar los cadáveres desde Buría (Camariñas), a tres leguas. Los porteadores descansaban en una piedra del camino viejo llamada "*a pedra da folga*". Otra narración apunta a las incursiones marinas que desde la era vikinga hasta el siglo XIX sufrían los habitantes de la costa, por lo que se conservan en los montes de Arou cabañas y grutas donde se ocultaban los naturales.

Muchos relatos orales intentan razonar ante una curiosidad o un rastro excepcional presente en la comunidad donde nace el cuento, hijos generalmente de las largas noches de invierno. Por eso se dice que la presencia de una alta tasa de personas rubias, de tez clara y raza nórdica en las aldeas del mar de Traba (Arou, Santa Mariña, Brañas Verdes, Lazo; en menor medida Camelle y Traba) se debe a que una colonia de normandos, tras saquear esta costa, se asentó en este lugar resguardado por las malas comunicaciones del resto de la comarca, creándose así una isla genética. Las incursiones normandas, la presencia de topónimos nórdicos, las crónicas sobre el vecino monasterio de Santa Mariña y la vinculación de este tramo costero con el obispado de Bretoña, luego Mondoñedo, apuntan en parte a esta relación, aunque el desarrollo de esta conjetura excede a un trabajo que no busca dar explicación razonada ni veraz al legado legendario de nuestros ancestros. Leyenda y crónica histórica pueden a veces confluir, pero son *figos doutra caixa*.

Salimos temprano de Arou y nos dirigimos por la ensenada de Xan Ferreiro al mirador de Lobeiras y a la playa de Lobeiras. Una fantástica isla poblada por cientos de aves marinas guarda memoria de viejos pastores que llevaban en barca sus rebaños cuando estos montes comunales, ahora cubiertos de pinos, servían de pasto a una amplia cabaña ganadera. Era un camino de malandros y de mal agüero el que va a Lobeiras y sube o costea a Santa Mariña, antes de que se construyese la nueva pista. Esto se debía, en parte, a la presencia de un ser temible, el más peligroso de todos los *trasnos*, el Xan, el cual se acostumbró a asaltar caminantes, robarles, golpearlos y arrastrarlos por las zarzas. Incluso ha llegado a tener a algún incauto atado toda una noche a un pino. Es el señor de Xan Ferreiro, pero también se le encuentra en la Cova de Xan de Lema, en Dor.

Arou, isla Lobeiras

En *a laxe dos rapaces* naufragó una chata cuyo patrón y sus dos hijos murieron al intentar salvarse. Es un lugar en cierto modo maldito, donde a veces se escuchan los gemidos de los dos niños náufragos. Asimismo, en el arenal de Lobeiras apareció el cadáver de un marino extranjero al que le habían cortado los dedos para robarle los anillos. Son muchos los barcos hundidos en este tramo y las almas en pena de marinos desgraciados que en ciertas noches deambulan por el largo arenal. Algunos de estos naufragios se atribuyen a las luces espectrales de la más fatídica de las apariciones: la llamada A Ronda, que no es otra cosa que la mismísima Santa Compaña. ¡Cuánto nos hemos asustado de niños con este nombre extraordinario! Su camino, el rosario de apariciones que acreditan nuestros mayores, va desde Arou a Buría (Camariñas) por la vieja brea litoral. O hasta A Portela (Camelle) y A Grixa (Ponte do Porto) por la calzada que comunicaba estos parajes con el resto del reino. De cementerio a cementerio, pues como en algunas partes de Alemania o Inglaterra, en el país de Nemancos los camposantos seguían una alineación mágica, un "camiño procesional", un *leis* milenario. Para diferenciar a los vivos de las almas en pena, bien solitarias o en procesiones, se debe mirar siempre si tienen pies.

Nemancos, presente ya en el parroquial suevo del siglo VI, significa "país de los bosques sagrados". Todo el *Camiño dos Faros* hasta Finisterre atraviesa sus parroquias, desde los bolos de Sabadelle hasta el cauce del Xallas. Pertenecía al obispado de Iria Flavia (luego Compostela), que nunca fue ocupado por la invasión sarracena, por los otros *mouros* que montaban corceles ligeros, blandían cimitarras curvas y tocaban el tambor. Nemancos era, al principio y hasta bien entrada la era románica, una sola parroquia con una pila bautismal para todo su extenso territorio, y una única iglesia bajo la mitra de Iria, la de Santa Baia de Dumbría. Pequeños eremitorios como el de Santa Mariña do Tosto y capillas familiares extendieron el culto cristiano por una *treba* excesivamente pagana.

Dicen que Lobeiras debe su nombre a la presencia de lobos de mar (focas) que toman el sol (*sonllando*) en el arenal y la isla. Desde allí, por un sendero entre *toxos*, recorreremos los *coídos* de cantos rodados en medio de un paisaje único, hasta llegar al pequeño puerto de Santa Mariña, que cruzaremos para ascender por el *penal* de Veo, en las estribaciones de la duna de monte Branco.

En Santa Mariña fueron surgiendo las casas por una empinada cuesta, o *"tosto"*. Abajo, el puerto, con las cabañas de pescadores; arriba, en medio del casal, la pequeña capilla románica, único resto de un antiguo monasterio benedictino. Al menos desde el siglo X, había eremitas en este agreste y desamparado lugar tan alejado de todo, también del pecado. Pero durante la Edad Media fue un santuario célebre, enriquecido con donaciones de tierras por los nobles y con limosnas generosas de los cientos de fieles que acudían al cobijo de la santa, famosa en todo Nemancos y Soneira por sus milagros. Por ello, en el siglo X fue atacada por los normandos y también por una codiciosa señora llamada Eiloza, ayudada por su hermana y los criados de ambas, que asaltaron el monasterio con engaños, fingiendo ser peregrinas. Por su impío delito sufrieron un terrible castigo divino: la lepra. Solo se vieron libres del mal cuando volvieron a pedir perdón a la santa y restituyeron los bienes robados: coronas, cruces, cajas y otras alhajas de oro y plata. El abad compostelano de San Paio los acogió, restauró el cenobio y aportó nuevos monjes. Pero se sucedieron los ataques de invasores por mar o de nobles de la tierra. Hasta cuatro veces fue reedificado y dotado de frailes, porque era lugar de gran devoción en donde "se continuaban haciendo innumerables prodigios por la intercesión de la santa patrona". En el siglo XVII ya solo quedaba la capilla, con todo, su romería el 18 de julio se siguió manteniendo con cierta popularidad hasta finales del siglo pasado, al ser la patrona menesterosa para la fecundidad animal. Famosas eran las *pandereteiras* del lugar y sus cantigas *sen cadrar*. Santa Mariña fue una joven mártir gallega de A Limia a la que decapitó un prefecto romano no correspondido, tras someterla a cinco torturas diferentes.

Cuenta la leyenda local como la sencilla imagen apareció en el mar, según unos, en una cueva según otros. El caso es que la cabecera parroquial estaba en Xaviña, y allá la llevaron, pero los porteadores fueron muriendo uno tras otro. Luego la aldea sufrió una gran plaga que afectó a los hombres y las cosechas. Por eso tuvieron que devolverla al lugar. No está sola en la capilla, la acompaña Santa Rufina. Las dos *santiñas*, como vimos, son muy veneradas por todo el *Camiño dos Faros* debido a la difusión de su culto que se propagó desde los pequeños pero antiquísimos monasterios benedictinos que jalonan la ruta. En ellos se ve la mano del primer monacato galaico, aquel que difundieron San Martiño de Braga y los reyes suevos.

Un río pasa entre las casas, se conserva la fuente santa, y como en todo el *concello,* a todas horas escuchamos el repique de los palillos de las encajeras. Es un lugar seductor, con esplendidos atardeceres. Los montes que rodean la aldea están poblados de leyendas que siguen recordando los vecinos mayores, con profesión de fe, por trasmisión de sus antepasados. En el atrio de la iglesia están enterrados sus monjes. La Cova da Reina fue refugio de una pareja real, escapada para protegerse de la ira de los enemigos de su unión. El Pe de Cristo es una laja con las marcas de las sandalias de Jesucristo, allí dejó su pisada cuando llegó al fin del mundo fundiendo la roca. La Fonte Encantada es un lugar mágico y curativo, de rituales pero también de apariciones de encantos y *mouras.* Por ello hay que ir precavido, pues solo podremos obtener el agua que rejuvenece y cura si respetamos a las *anas* del agua, y si en algún día de los marcados en los libros de las sabias se nos aparece una *moura,* debemos responder a sus acertijos. Alguna anciana *pandereteira* sabe las respuestas, pero me pidió no transcribirlas.

Monte Branco

Al llegar a la cima del monte Branco o *penal* de Veo go-
zamos de una de las panorámicas más espectaculares del
Camiño dos Faros, con la duna, la playa de Trece, la punta de
O Boi y el Cementerio de los Ingleses, donde descansan
las víctimas del *Serpent*, un crucero torpedero inglés hundido en 1890. El cementerio inglés, por su ubicación y por
contar con muertos de varios barcos ingleses (*Serpent, Trinacria, Iris Hull*), es un lugar que frecuentan los amigos de
los fenómenos. El nombre de varios capitanes y algunas
anécdotas macabras elevan la carga telúrica del fascinante
paraje, en donde cada 10 de noviembre a las diez de la
noche un grupo de entusiastas acudimos a rendir tributo a todos los muertos en el mar. En la memoria de los
vecinos de las aldeas cercanas permanece el recuerdo del
heroico y fiel perro de *mister* Murray, capitán del mercante

inglés *Trinacria*, hundido en este punto en 1893 con treinta muertos y siete supervivientes. Entre las víctimas, la única mujer enterrada en el camposanto es la novicia metodista Kitty Smith, de quince años. Su cadáver desnudo dio lugar con el tiempo a otra *serga* de relatos, mezclando barcos y circunstancias. Algunos decían que era la esposa del *captain* del *Serpent*, o del *master* Murray. En cuanto al perro del patrón del *Trinacria*, según cuentan, se lanzó al mar y rescató el cadáver de su amo, arriesgando su vida en un mar embravecido ante el asombro de todos. Lo veló en su tumba durante días, y escapaba cuando alguien quería echarle el lazo para darle una merecida vida mejor. Unos dicen que allí murió, velando a su amo, pero finalmente fue llevado a la Ayudantía de Marina de Camariñas acuciado por el hambre y la sed. Es la parte más reconocible de la historia, aunque las versiones se suceden desde entonces. Unos dicen que habían muerto todos menos el capitán, al que salvó su perro, lanzado luego contra las rocas cuando intentó salvar a la esposa del amo. Otros cuentan que el can salvó al único superviviente. Como recalco, la documentación investigada de cada suceso los va verificando, aunque no consigue hacer olvidar el rosario de componendas y añadidos, ya centenarios.

Cala de triste recuerdo es la *furna dos defuntos queimados*. Allí ardieron en una lúgubre pira varios cadáveres del Trinacria llegados a tierra en una amalgama de maderos, cabos, cera, ropas, de la que no fue posible extraer los cuerpos. No hubo más remedio que rociar todo con gasolina y convertir el amasijo en una fétida hoguera, dejando maldito el lugar.

Estamos en el ecuador del *Camiño dos Faros*, unos 100 kilómetros ya recorridos y otros 100 por recorrer. Desde la cima de monte Branco veremos una amplia representación de todos los tipos de dunas existentes. Nos encontraremos precisamente en la duna remontante más alta de Europa. Al bajar, atravesaremos las pequeñas y solitarias calas de Trece hasta Punta do Boi y el Cementerio de los Ingleses. Al fondo, cabo Vilán. En el bravo arenal de Trece crecen las *caramiñas*, una fruta perlada que nace con el estío y da nombre a Camariñas. De niños las buscábamos en este lugar y en otras pequeñas playas en Reira o Xaviña. Nos contaban que estos dulces frutos eran lágrimas de la Virgen del Monte, porque como aquí estaba el paraíso, había tenido la visión de la escena de Eva y la serpiente. Es posible que sea una apropiación de una famosa leyenda portuguesa, porque el país vecino, y culturalmente hermano del gallego, conserva también varios *caramiñales* que bien conozco.

Camariñas

El rey trovador Dinís I de Portugal era un gran mujeriego. Se había casado con doña Isabel de Portugal en el castillo gallego de Sobroso. Sabiendo la reina que tendría una de sus citas amorosas, al día siguiente mandó que le ensillaran un caballo y a primera hora de la tarde partió a buscarlo acompañada de algunos guardias y dos ayas. A media tarde llegaron al lugar indicado, en un pinar cuyos árboles el mismo rey había ordenado sembrar, y entonces la reina mandó al séquito que se detuviera y ella sola se encaminó hasta un roquedo donde encontró retozando a la pareja. El rey infiel, asombrado, abrió los ojos de espanto; por su parte, los de la reina dejaron caer unas lágrimas cristalinas que se extendieron por todas las matas del pinar, convertidas como en perlas de un blanco tan blanco que volvieron aquel bosque lugar de maravilla. Desde ese día, las lágrimas de la reina, convertidas en perlas blancas para que pueda ver ella las infidelidades de su esposo, y agridulces como fueron sus lágrimas entonces, salen en septiembre en el Pinar do Rei, y por toda la orilla del mar, desde Cádiz hasta las Rías Altas.

Arnela , cabo Vilán

El camino de Punta do Boi a Vilán nos lleva por el rosario de playas de Reira a través de una cómoda senda que recorre este litoral salvaje y solitario hasta subir por monte Pedroso y llegar al faro de cabo Vilán, el primero en ser electrificado de España, uno de los símbolos de este camino, en funcionamiento desde 1896. Anteriormente había otra luz cuyo edificio se puede ver en una colina próxima, erguido en 1853; aunque como sabemos en este punto ya existía un sistema de fachos y vigías desde el siglo XVI. Desde Vilán nos acercaremos a Camariñas por otra vereda que recorre todo el litoral, pasando por la capilla de la Virxe do Monte y los restos del Castillo del Soberano, para finalizar la etapa en el centro de la villa, al lado del puerto pesquero.

Por toda esta parte final nos guiaremos por la capilla de la Virgen del Monte, la cual veremos en su alto otero mirando el mar. Enfrente, Muxía, el cabo Touriñán y todo el mar abierto. Esta es la patria de los nerios, celtas supertamaricos (arriba del Tambre) que llegaron en una larga peregrinación en la Edad de Hierro desde el río Guadiana a Nemancos, al Finisterre. Fue una *ver sacrum* (primavera sagrada), la consagración de una parte de la juventud de un territorio y su marcha temporal o definitiva en busca de nuevas tierras donde asentarse. En sus tumbas dejaban claro que eran *celtici*.

Documentan los cronistas de la Antigüedad que en el país de los nerios, el cónsul romano Lucius Sextius levantó tres aras en torno al 19 a. C. en honor a su amigo el emperador Augusto. Se atribuye la localización de las tres

Aras Sextianas a un punto, o varios, entre el cabo Touriñana y el cabo Vilán, pasando el promontorio céltico y nerio (Finisterre) y el Vir Fluvius (río do Porto), precisan los mapas. Son más los investigadores que abogan por varias localizaciones dentro de este espacio, no en un solo cabo. Y tanto Touriñán, con su ínsula sacra que perteneció al monasterio de Celanova y a la familia de san Rosendo, como el monte Farelo, en donde se asienta la Virgen del Monte, son dos claros candidatos a sedes de dos de las aras de Augusto.

En el monte Farelo había por los menos desde el siglo XIV una capilla, citada por los portulanos de los navegantes venecianos y mallorquines. Dicho monte servía a los marineros de faro, de marca o *guieira* en su derrota. Pertenecía a la parroquia de San Xurxo de Buría-Camariñas, que junto a Xornes (Ponteceso) formaba el arciprestazgo de Camariñas, enclave del monasterio de Mondoñedo hasta mayo de 1955. Esta donación fue un legado real de los tiempos de las invasiones sarracenas para el sustento de varios obispos portugueses refugiados cuyas sedes habían sido ocupadas por los árabes. En 1760, la ruinosa capilla fue substituida por la actual. Camariñas, como otras feligresías de esta costa, es una parroquia con dos caras: una marinera en la villa, y otra labriega, en la aldea o Buría.

El apólogo popular nos habla de unos pastores piadosos que se reunían a rezar en la cima del monte Farelo. La virgen salió del mar, escaló el terrible peñasco donde dejó sus huellas y en la cumbre animó a los pastores en sus rezos, pidiendo que le construyesen allí una capilla.

El párroco creyó que mejor era hacerlo en unos terrenos próximos a A Viulleira, más cerca de la población, pero la imagen de la virgen volvió una y otra vez al Farelo, remarcando su voluntad de permanecer allí.

Otra versión indica que unos pescadores invocaron a la virgen en ayuda a unos compañeros que luchaban contra el mar bravío y por fin fueron llevados a puerto seguro. La tercera versión habla de las esposas de unos marineros que no eran capaces de regresar a puerto un día de temporal y se acercaron al Farelo para allí implorar a Nuestra Señora. Desde lo alto vieron como la virgen salía del fondo del mar y conducía con su mano a los barcos hasta puerto. Después, Nuestra Señora volvió al embravecido mar, tomó una imagen suya del palacio sumergido en donde habitaba y escalando el acantilado se la entregó a las mujeres encargándolas construir allí una capilla.

Las esposas de los marinos, en tiempos de la navegación a vela, solían ir a la capilla, tomaban una de las tejas del techo y la colocaban del lado de donde solía soplar el viento para favorecer el regreso de un ser querido. Ya lo vimos en otros lugares. Más tarde se sustituyó el rito por una vela y una misa cuando marcha el navegante o emigrante. La romería se sigue celebrando hoy el Lunes de Pascua, igual que otras devociones marianas de la comarca, cuyos templos están alineados y se ven unos a otros como las antiguas atalayas de vigías. Los romeros solían pasar la noche de vísperas en el templo, o a su alrededor, para celebrar al día siguiente una alegre velada campestre. Además de proteger a navegantes y emigrantes, la Virgen ayuda con los dolores de cabeza y protege las cosechas y la fecundidad del ganado. Remarcando el carácter extraordinario del espacio, el fascinante templo se enfrenta a los vientos y a la visión del mar abierto sobre un cementerio marino. Al lado de la capilla hay una roca con el pie grabado de la virgen. Se trata de uno de esos petroglifos ya vistos en otros entornos sagrados y misteriosos, inscritos en estos casos a la Edad del Hierro, donde se oculta (malamente) el oficio a una conocida divinidad galaica, la más antigua, la Soberana Señora.

Entraremos en Camariñas por la zona de Portocelo, con las ruinas del castillo del Soberano, levantado en época de Carlos III. El pequeño faro de punta Villueira ilumina una zona peligrosa con muchos naufragios históricos, entre ellos un galeón español cuyo tesoro fue levantado a mediados del siglo pasado de forma casual por un pesquero. Es el bajo de *"os boliños da fortuna"*. En tierra, en unos prados los camariñanes en verano acudían a una fiesta campestre llamada *"a xira"*. Podremos detenernos en la recién recuperada *fonte encantada*, un manantial de agua fresca y curativa que nunca seca y que en las mayores sequías sació la sed de los lugareños. Por supuesto, estamos ante otro lugar maravilloso, en cierto modo sagrado por el mito popular que también tiene sus propios altares sin fastos ni imágenes, pura naturaleza. La frescura y propiedades curativas de la fuente y su carácter de manantial perenne precisan una explicación dentro del acervo cultural del país. Este *conto* sigue las premisas requeridas para su asimilación por el pueblo, para ser entendido y adoptado.

La fábula de la fuente encantada de Portocelo con el tiempo fue romanceada por las ancianas recogedoras de cuentos de la villa y tiene un protagonista llamado Martiño. El cuento habla de *mouros*, encantos y caballos fantásticos, con el tiempo se le intentó dar un toque racional e historicista, pero en el fondo permanece la base original. Resulta que un joven de Camariñas llamado Martiño, mientras pasa tres años guerreando a los moros en el norte de África, conoce a Asim, un hombre de aquellas tierras. Cuando Martiño le dice al amigo que retorna a su hogar a bañarse de nuevo en las playas del Portocelo, el moro entonces, para su sorpresa, pregunta al gallego si conoce el manantial que allí hay entre dos calas y si puede llevar un paquete a la fuente de Portocelo. Dicho paquete sería para su hermana, a la que echa de menos. Ella lo recogería en ese lugar. Pasada la sorpresa, Martiño, por supuesto, accedió. El paquete era redondo y tenía que ser entregado en una noche de luna clara a las doce en punto. Martiño debía ir solo y pronunciar el nombre de Jalida tres veces junto a la fuente. Así se despidieron los dos amigos, presintiendo que nunca más se volverían a ver. Cuando Martiño retorna a su casa, besa a su hermana Carmiña y deja el paquete en el banco de la cocina. Serio le advierte a la chica que bajo ningún concepto abra aquel bulto; pero la curiosa hermana no fue capaz de resistir la tentación y en cuanto estuvo sola, lo desenvolvió, descubriendo que dentro había un pan de trigo. Ella cortó un pedazo y con cuidado dejó el fardo en su sitio. Al cabo de siete días salió la luna llena y Martiño llevó el atado a la fuente, pronunciando tres veces el nombre de Jalida. Entonces, con gran estruendo y mostrando una poderosa luz, la fuente se abrió en dos, saliendo del medio de la roca una bella mujer, de cabello negro y oscuro, con unos ojos grandes y brillantes. "¿Para qué me llamas, Martiño?", preguntó la aparición al joven, sorprendido porque supiera su nombre. "Te traigo un encargo de tu hermano Asim", le respondió el gallego. Ella le indicó que llevaba tiempo esperando la visita, y mientras se iba acercando a Martiño cantaba: *"unha estraña maldición,/ ai!, tenme aquí encerrada./ Libérame axiña, amigo,/ non me deixes encantada"*.

Jalida entonces abre el paquete, pero al ver que al pan le falta un trozo entra en ira. Lo reprende por su mala cabeza, le pregunta por qué había arrancado un trozo de pan. "Con esto lo que lograste es cortarle una pata a mi caballo. ¿Cómo salgo ahora de mi cautiverio?", preguntó la desconcertada *moura*. Enseguida, ella colocó la "bola de pan" en el agua, surgiendo de repente un hermoso caballo blanco de tres patas. La pobre *moura* encantada explica su cuita a Martiño: "y ahora, insensato, por tu culpa tengo que permanecer toda mi vida entre las piedras frías, húmedas y cristianas. Perdí mi libertad y tú mis riquezas. Guardaba un caldero lleno de oro y plata para mi libertador; pero para que veas que no le tengo rencor a tu hermana te doy esta mantilla bordada en fino hilo de oro, para ella". De pronto, sobrevino un gran torbellino y se levantó el viento y la lluvia con rayos y truenos que iluminaban la noche. Y, como tragados por la tierra, desaparecieron la *moura* y su caballo blanco mutilado. Martiño regresó desconcertado y muy enfadado a casa, pero no quiso castigar la imprudencia y curiosidad de su hermana. Agarró la mantilla y arremetió con ella contra el limonero de la huerta. Entonces el frutal se empezó a secar hasta que ardió por completo quedando reducido a cenizas. Martiño se dio cuenta de la mala intención de la fastidiada *moura*, que pretendía matar a su hermana con el manto; y por eso repite una y otra vez: "que suerte no darle la mantilla a mi hermana, que suerte".

El nombre de Camariñas permanece unido el encaje de bolillos que le da fama, la artesanía de las *palilleiras*. Son varias las fábulas sobre el origen del mismo. En todas aparece el mar como entrada del encaje en la ría, sin duda llegado por las relaciones del comercio marino de Galicia con Flandes e Italia.

Una dama italiana casada con el noble de las torres de Cereixo enseñó a *palillar* a sus damas y criadas, extendiendo la labor por la ría, según un relato. En la otra versión, llegó a través de un barco de los que unían Italia y Flandes. El navío naufragó en la entrada de Camariñas, y los náufragos fueron rescatados por los naturales. Entre los supervivientes había una señora que conocía el arte del encaje y en agradecimiento enseñó a las mujeres del pueblo. Luego está la narración del marinero y la sirena, crecida con material de los recopiladores de la etnografía del siglo pasado.

En otros tiempos vivía en Camariñas un joven pescador enamorado de una hermosa costurera. Pero ambos eran pobres y no podían pensar en un casamiento. Por mucho que trabajaban duro en sus oficios, poco les rentaba.

Además, cada año los temporales eran más recios, lo que obligaba al marinero a quedar muchos días en tierra desesperado porque no mejoraba su condición. Mientras, su amada cosía día y noche por unos pocos reales que apenas le daban para el caldo de berzas. En una de esas mañanas de desesperanza, cuando el joven andaba mirando la cara del mar esperando una mejora, se fijó en una ola encaprichada en sus remolinos contra una roca y entonces observó que emergía una sirena. La criatura sintió la tristeza de los ojos del joven y le ofreció su mano. Le invitó a vivir con ella en su palacio sumergido, pero el mozo le confesó su amor e infortunio. La sirena decidió entonces no seguir con sus fatales embelesos y lo dejó retornar a su casa, no sin antes ofrecerle un regalo: un cuerno marino, una *caramuxa*. La hermosa caracola en su corteza llevaba inscritas olas de mar y el reflejo de las estrellas. Se la regaló a su amada, quien se inspiró en sus grabados para crear el famoso encaje de Camariñas.

En Buría, la zona agraria de Camariñas, se ubica el primer poblado, el castro de A Croa, de la Edad del Hierro. Allí vivieron los *mouros,* y los lugareños hablan de la existencia de una mina de oro debajo de un eral que estos seres fantásticos labraron entre dos muros. Recuerdan que había unas cuevas con un tesoro guardado por un *mouro.* Un vecino del aledaño lugar de Mourín (sugestivo nombre) quiso hacerse con él, y empujado por la codicia se enfrentó al guardia, a quien mató, pero no logró apoderarse del tesoro porque las galerías de la cueva se vinieron abajo.

Etapa 6: Camariñas-Muxía (32 Km)

La sexta etapa del *Camiño dos Faros* es la más larga del recorrido, pudiendo llevar diez horas. Salimos de los altos acantilados y el rugir del mar para entrar en el refugio interior de la ría, rodeada de bosques de pinos, oteando la labor de las mariscadoras en los extensos arenales descubiertos con el reloj de la marea en la tradicional parroquia de Santa Ana de Xaviña.

El principio de la etapa nos llevará por la Enseada da Basa y la desembocadura del río do Porto entre bandadas de aves. Al llegar a la playa de O Ariño nos faltará un tramo por la orilla y saldremos a la carretera para cruzar las típicas aldeas rurales de Tasaraño, Dor y O Allo. Precisamente, la parte que hoy no podremos recorrer, conserva, cuando baja la marea, una curiosa calzada llamada *"os posados"*. A Paxariña es un lugar de encantos, vía usada antiguamente para ir desde estas aldeas a la zona marisquera evitando dar un rodeo; pero había que pedir permiso a las *xanas, fadas ou anas* que ejercían el portazgo, o arriesgarse a llevar un remojón, sufrir una caída o una maldición. Por ello sería recomendable habilitar tan fascinante lugar, al igual que el vial costero de Dor a Ponte do Porto, una de las tareas incompletas del *Camiño dos Faros*. Escrito queda. La patrona de Xaviña es Santa Ana, aunque hoy oficialmente se le llame Santa María. Esta *"ana"* tan popular y querida guarda resabios de una *xana*, una criatura natural acuática que atraviesa la parroquia para desembocar en el río do Porto, y a cuya orilla se levantó su iglesia románica y la rectoral. "Anaia" también significaba en la Edad Media "señora", con la marca de la *banshee* céltica, una señora acuática del Alén (Otro Mundo). En las islas occidentales femeninas aparece la "Anu" o "Dana céltica", madre diosa, unida igualmente a *"side"* (cuevas, arcas o dólmenes). Aunque Santa Ana de forma oficial (con reparos) es la madre de la Virgen, la tradición céltica la hace una santa bretona, y allá tiene dos santuarios que son como nuestro Teixido. Allá deben ir los bretones una vez de vivos, como nosotros a Teixido. Santa Ana de Xaviña no tuvo madre, pues nació (como Atenea o Eva) de una pierna de su padre. Este, tras comer una manzana, limpió en su pierna la navaja usada para cortar la fruta. En el sitio donde la frotó le nació un bulto que fue creciendo y a los nueve meses se desprendió; era una niña, Ana. Esta santa nos defiende del rayo, de las agonías difíciles y del mal parto. En su templo cobija a San Blas, abogado de los dolores de la garganta, el cual goza de mucha devoción local. El cura de Xaviña, don Mario, reparte un bolo de pan bendito, donado por los panaderos locales, que obra prodigios en la *gorxa*. En Galicia se suele representar una Santa Ana Tripla que reúne las imágenes de Ana, la Virgen y el Niño. La honran el día del apóstol con una gran romería en O Ariño, al borde del mar. En Xaviña, antes de Napoleón (hubo un combate aquí en 1809, en Vadapeiro, contra un regimiento de línea), vivía el cirujano Carballido. Tanto él como sus descendientes necesitaban beber sangre porque padecían una rara enfermedad, posiblemente trasmitida por una *meiga chuchona*. Las *meigas* de este tipo, convertidas en moscas, arañas o serpientes, buscaban cada noche la sangre del ganado o de los vivos, sobre todo jóvenes puros, hasta ir dejándolos tísicos poco a poco. Cuando se transformaban en murciélagos, denominados en esta ría *"touciñeiros"*, entonces no eran *meigas,* sino *verdolagos,* una suerte de *meigo macho.*

En el siglo XIX, tanto en Xaviña como en Ponte do Porto, hubo muchos robos de cadáveres de los cementerios. Culpaban a los ladrones de cuerpos que vendían los huesos a médicos, boticarios y demás hombres de ciencia de la ciudad; o a personas sin fe que hacían extraños rituales con la grasa humana, los famosos *sacauntos.* Todo ello causó mucho revuelo en los periódicos de la época. El abuelo de mi abuela se prestó para dirigir partidas de vigilancia en el cementerio de A Grixa, y a veces él mismo quedó a solas de noche durmiendo entre las tumbas. Lo cierto es que un día llegó con el rostro pálido, los ojos desencajados y *un mal no peito.* Había cogido un aire de muertos o visto algo tan terrible que le hizo caer gravemente enfermo. No tardó mucho en morir sin una enfermedad acreditada.

Dor es una aldea de señorío, y en su pazo residían los principales hidalgos del *concello.* Posee un inusual castro de río; un rincón lleno de encanto y de *mouros.* Allí hay enterrado un tesoro, pero los que intentaron localizarlo no lo consiguieron. Es necesario dar con la *pedra das agullas,* la entrada a la cueva donde habitan los *mouros.* De noche, las *mouras* se bañan en el río yse aparecen las *lavandeiras.* En san Juan (o día de Lumes) algunos atrevidos van a buscar la gallina de los polluelos de oro, pero ninguno consiguió atraparla, porque enseguida se esconde en una fuente. Si el día de Lumes al abrir la jornada miras hacia el castro, podrás ver esta gallina y siete *pitos de ouro*. También al amanecer y al atardecer pasa una mujer vieja que aparece y se esconde enseguida; a veces es como una paloma. En los caminos de Aobas y A Poza salen luces de la maleza que atraviesan los cuerpos de los viandantes. Había *alghun día* un gran *alagharto*, o sapo acuático, que atravesaba la orilla por el canal de Fornosapo para ir a una isla de juncos donde retozaba. Causaba remolinos para ahogar a los pescadores, o los atrapaba en las arenas movedizas de la peligrosa *lameira* del bajo de Dor cuando apañaban *pións*, *agullas* y *lubión*. El señor de la casa grande de Dor quiso atraparlo con una red de lino.

Maldita es una roca llamada "A vista da Barca", desde donde se ve el santuario de Muxía. Le fue colocada una cruz, pero desapareció. Los que la intentaron mover para usarla en los muros de sus fincas sufrieron muertes agónicas. Aquí vuela de noche la Marta, un ave parecida a la lechuza. Cuando se ve revolar las lámparas de aceite para libar, es señal de que andan cerca los espíritus infernales. Es peligrosa, puede atacar los ojos de las personas. En el camino que lleva a A Mina de Dor cuentan sobre apariciones de vecinos difuntos que fuman tranquilos sus cigarros encima de un *valado* y saludan al viandante. En este caso, debemos cerrar los ojos y trazar un círculo alrededor, hasta que desaparezca la visión. Sitios "con encanto" son A Cova de Xan de Lema y Fontemaitín. Allí viven *xanas* y *mouras*. En Fontemaitín, un clérigo, Martín Pereira, en el siglo XVII encerró a una *moura* en una fuente de cantería y levantó un palomar y una capilla en A Cerca que siguen existiendo.

Castro de Dor

Entre Dor y O Allo pasa el río Das Meigas, donde estas se reúnen cada noche en grupos de tres para preparar *as súas cousas*. Por eso en O Allo nos recuerdan: "*non poñas o pe no río*". Es lugar propicio para el *tardo*, un genio revoltoso que se acerca a las camas de los durmientes y les produce pesadillas y alucinaciones. Como es curioso, debemos colocar en la mesilla de noche un cuenco con granos de maíz, así se detiene a contarlos, pero solo sabe contar hasta cien, por lo que volverá de nuevo a empezar hasta que se canse y se marche a otro hogar. En las viejas albarizas (colmenas de abejas) se juntan las *lavandeiras*, mujeres que de noche lavan frenéticamente e invitan al que pasa a que las ayuden a escurrir la ropa. Si por miedo el interpelado se niega, estos seres le pueden provocar la muerte. Por todo esto se aconseja no recorrer de noche estos parajes. A veces, algún *trasno* o *moura* hace tocar el sino del campanario de A Grixa.

Los montes que encierran el valle, Os Catasois, eran altares donde *os mouros* adoraban al sol. Este es territorio del *nubeiro*, un *trasno* maligno que duerme en Os Chans Barreiros (una curiosa planicie en la cima de un monte), desde donde provoca relámpagos y dirige los rayos. Sus compañeras, las *nubeiras*, también forman las nubes y descargan donde quieren los truenos. El *nubeiro* esconde las nubes en las montañas de O Balado y las lleva de un lado a otro a su antojo.

En A Pendurada y Can Ladrón vive el Papón, un gigante que come a los niños, por eso las madres cuando no se portan bien los asustan diciendo: "*que ven o papón*". En el camino de A Pendurada hay una peculiar piedra *banadoira*, una *pedra de abalar* como la famosa de Muxía, que pertenece a san Pedro. En 1954, un cura destruyó la iglesia gótica de San Pedro do Porto, sita en A Grixa. Un día se le apreció un *velliño* de barba blanca sentado en un muro a dos vecinas. Estaba triste y las dos comadres le preguntaron qué le sucedía. "Estoy llorando porque acabo de quedar sin casa", respondió; era san Pedro.

Llegamos a Ponte do Porto, con su puente del siglo XIII y magníficas esculturas barrocas en su moderno templo.

Una antigua calzada procedente de Compostela aún permite ver lienzos de su trazado. Dicen que fue hecha por los *mouros* en una noche de truenos. Por su empinada cuesta en Navidad bajaba desde A Casa do Prado *o pandigho*, un carbonero, o *xalleiro*, de barba blanca y boina negra que traía a los niños en su saco de esparto algunos regalos: uvas e higos pasos, nueces, o castañas. El mayor regalo era una pequeña carraca de madera oscura para tocar en Semana Santa cuando enmudecía la campana. Mi abuela de niña jugaba con una, la cual todavía conservo, pero no le pregunté su origen.

Los niños temíamos a seres espectrales, señores de la noche, como *a ave da chuvia* o *a raposa da mordasa*. *A ave da chuvia* (el ave de la lluvia) anunciaba cambios de tiempo, tormentas e inundaciones, pero era una aparición fantasmagórica y según una versión podía robar niños, o por lo menos las abuelas nos asustaban con su cita cuando íbamos a la cama, o para no salir a la calle de noche. Se trata de un ave grande, con plumas y patas negras, fuertes garras y ojos brillantes y rojos. También se dice de este espectro que es invisible y escurridizo y nadie sabe dónde pone su nido. Se parece entonces a alguna imagen de sirena griega voladora o arpía. A los niños de O Outeiro nos contaban que vivía en la otra banda del río, *no alto das Barrosas*.

La *raposa da mordasa* era una zorra lastimera que de noche emitía sus quejidos (como los de bebés) y asustaba a la gente anunciando la muerte. Lanzaba llamaradas de fuego por la boca y profería aullidos intermitentes, imitando al perro y al gallo. Cuando se escuchaban sus gemidos terribles, muy tristes, los niños no salían de casa, pues podía raptarlos o condenarlos a morir. Puede hacerse invisible, es un don que tiene. Además era muy veloz por eso era difícil verla. Relacionado con esta *raposa* estaría la costumbre en este valle de los labradores, cuando acaban la malla del centeno en el mes de Santiago. Tras desgravar el centeno en las losas de la *eira de mallar*, recogen los últimos restos de paja y hacen una especie de muñeco con tres atados que dejan en una esquina. Le llaman el espíritu del centeno, *o a raposa*. Este haz se guarda en el *palleiro* hasta el día de la sementera. Es pues una especie de genio del cereal, de la tierra, al que se protege para el bien de los frutos.

Menos maléfico es otro curioso personaje, Pedro Chosco, un duendecillo de barba blanca, amable y juicioso, pero con fama de mujeriego. Es habitual en villas como Ponte do Porto, de mucho comerciante con criados y señoritas con sirvientas. Las jóvenes criadas o las *panilleiras* eran algunos de sus objetivos preferidos. Les daba sueño a las mozas para que no acabasen a tiempo la tarea.

El castro de monte Croado nos observa desde una cumbre. Es el *castro maior* del interior de la ría de Camariñas y domina la visión de todo el estero y sus puntas sagradas (A Barca, la Virgen del Monte, cabo Vilán), los *penedos* de Traba. ¿Podremos resumir en unas líneas tanta memoria oral trasmitida por nuestros abuelos en este entorno bucólico? En el Croado viven los *mouros*, allí había cuevas con tesoros, pero una de ellas escondía azufre. Si por casualidad alguien se topase con dicho azufre, todo el valle se cubrirá de este, quedando como un gran volcán abierto. Los ganaderos de Carnés y Cures taparon estas pozas para que sus vacas no cayeran dentro. Sus grandes muros son visibles desde cualquier punto, marcando en el monte una especie de corona, de ahí su nombre: "Coronado". El romance lo recuerda: "¡Ay, Croado coronado, quién me diera tu reinado!". Aquí vive el Rei dos Mouros, que se sentaba en una piedra llamada O Sillón dos Mouros. Desde allí todo lo que alcanzaban sus ojos era su señorío. Al lado del sillón hay un mapa grabado en una laja plana, y en otra finca otras dos rocas muy erosionadas que no logré encontrar en esta excursión debido a la maleza: la Pedra dos Letreiros y la Pedra dos Números. Como el Sillón dos Mouros encerraba un tesoro, en el siglo pasado algunos intrépidos armados de palos y picas intentaron cavar en su búsqueda, sin éxito.

El castro de O Croado se halla en una remota montaña que antaño era de difícil acceso. Por eso, muchos se perdieron en el laberinto de sus caminos intentando dar con él, cosa que hizo que este lugar recibiera el nombre de "Castillo de Irás y No Volverás". Si lograbas encontrar el camino cierto que te llevaba a su cumbre, enseguida venía la noche y no sabías retornar. Entonces, estabas en manos de todos esos seres nocturnos que guardan las leyendas y pueblan la cuesta de As Barrosas, la Calzada y la aldea abandonada de Vilarellos. También podías caer en una de las muchas cuevas y trampas de la montaña terrible, la cual la gente sigue viendo como un territorio del pasado legendario, un espacio que no es para los humanos y al que debe guardarse respeto. No es como un lugar físico, sino un *portalén*, una puerta del Alén, el Otro Mundo, sitio por donde entran y salen unos extraños y peligrosos habitantes por caminos de agua (fuentes, arroyos).

En una cerca, un vecino de As Barrosas encontró un caldero de monedas escondido por los *mouros*, y de la noche a la mañana se vio convertido en un hombre rico, construyendo una casa grande, comprando buenos bueyes y caballos; vivió con holganza él y su familia. En A Casa do Prado vivió un niño huérfano que llegó a ser obispo en Haití y dejó una fabulosa fortuna a finales del siglo XIX a sus parientes, la familia de su tía, los Carballo. Basilio Suárez de Lema se llamaba.

En lo alto de O Outeiro está A Eiriña o Eira do Demo. Allí hay una especie de era o circo de piedras en donde se aparece el demonio. Para los niños es una especie de rito de iniciación o entrada en la adolescencia cuando los mayores les retan a adentrarse solos de noche en ese espacio misterioso. Es uno de los sitios que frecuentan las *feiticeiras, pastiqueiras* y *carteiras* para hacer rituales de curación. En O Oratorio, al lado del puente, había un cruceiro, ahora desplazado al atrio de la iglesia parroquial. Allí dejaban los niños expósitos. Las madres también pedían aquí el pan a siete Marías que por allí pasaban cuando los niños tardaban en hablar. También cuentan que se les daba bautismo en las aguas, en la fuente santa del santuario. Quizás como en otros puentes centenarios las madres ponían a los hijos el nombre del primero que pasara.

Ponte do Porto, poza do encanto

En la Ruta de los Molinos hay varios lugares con misterio. La Poza do Encanto es un lugar donde las madres no dejan bañarse a los hijos, pues ahí habita un encanto. La habita una mujer terrible que arrastra a las personas hasta un pozo profundo provocando un torbellino tan hondo que una vez cayó un carro de vacas en él y se perdió para siempre. Lo evitan los pescadores, porque algo les tira de los pies y los hace resbalar por un desnivel de firme rugoso. Aguas arriba está el rincón donde las *lavandeiras* lavan su ropa y atrapan a los viandantes que caminan de noche por su entorno. Allí se bañaban las *mouras*, descendiendo por las *ferrarías* del castro del Croado. En una isla del río, en A Insua, hay un círculo lítico; es una *eira das meigas*, donde las brujas se reúnen para sus conferencias en un paraje de cascadas y bosque de ribera de inusual belleza. Una piedra plana, enfrente al molino de Mata, cura la melancolía si nos sentamos mirando el fluir de la corriente a la sombra de los alisos.

Fuente de San Cristobal, Carnés

Atravesaremos el puente para dirigirnos por el paseo fluvial en dirección a Cereixo. Allí, en poco espacio, podremos disfrutar de un estupendo paseo hasta un molino de mareas, la iglesia, un centenario *carballo* (roble) y las Torres de Cereixo. En la iglesia románica de Santiago de Cereixo vemos la primera escultura de la traslación del apóstol a Galicia. En una barca siete discípulos traen el cuerpo del decapitado patrón a Galicia. Esta antigua puebla y primer puerto interior de la ría fue víctima de incursiones de musulmanes y normandos, al igual que Moraime y Tosto. Siendo destruida en una feroz rapiña, sus vecinos recibieron tierras en Muxía.

El río que baja de Carnés y desemboca en el Porto surte también molinos y un batán de lanas. Al final, termina en una bella aceña de mareas, una de las tres de la provincia. En Carnés celebran desde 1608 la víspera de San Cristovo la Fagía, la fiesta gastronómica más antigua de España. El santo es llevado el 9 de julio en procesión a una cerca, donde permanece en su mesa de piedra coronada de arco vegetal en medio de los comensales y los platos de callos como un invitado más hasta el fin de la jornada. Conserva una serie de ritos similares a la *tromenie* de Bretaña y lugares marcados por la tradición. Cristovo era un legionario gigantesco que, aconsejado por un ermitaño, decidió convertirse al cristianismo y servir a los demás valiéndose de su fuerza y estatura para ayudar a la gente a cruzar un caudaloso río. Un día llevó a hombros a un niño, pero se hizo tan pesado que casi se hunde el gigante, y mucho le costó ganar la orilla. El niño una vez en el otro lado se identificó como Jesucristo. En la ría se cree que el milagro sucedió en el riachuelo que atraviesa la parroquia y va a Cereixo, otro sitio de ritos de *meiguería*. Como protege a los fallecidos sin confesión, la imagen del altar mayor cubre con su poderosa visión una parte del valle. Otra escultura de piedra colocada en una esquina del cementerio abarca con su mirada salvadora la otra banda. Tres fuentes sagradas se vinculan al santo en tres prados usados por los romeros foráneos que a cientos llegaban a la romería. Se invoca el santo para atraer la lluvia. Los feligreses llevaban a san Cristovo al encuentro con su hermana santa Cristiña, que se abriga en un santuario próximo. Cuando ambos se cruzan a medio camino, entonces empieza a llover copiosamente y se desbordan los ríos.

El día de A Fagía, una señora que tiene el don (la última fue Carmen da Casucha) celebra el ritual de *virar a tella*. Para llevarlo a cabo usa tres tejas de la caseta de A Cerca, donde se celebra la fiesta, las cuales coloca sobre otras tres y las va moviendo en dirección al viento propicio. Así logra que al día siguiente, durante la procesión del patrón, no llueva. Las tres tejas corresponden a los tres vientos, los puntos cardinales del compás céltico: *nordés*, *surada* y *travesía*.

Un lugar de culto es la Pedra do Noco, un peñasco próximo a A Cerca, donde estaba grabado el gigantesco pie de este *bigfoot* llamado Cristovo de Carnés. En este sitio se encuentra también *o mulido* de la Virgen, ese paño enroscado que las mujeres (y las *mouras*) se colocan en la cabeza para portar grandes barreños de ropa o sellas de agua. Un vecino quiso usar una parte de la piedra para un *cabazo* (hórreo) pese a ser advertido, pero no hizo caso y por eso él mismo quedó tullido y otro familiar sufrió el mismo mal. Son muchas las historias de la cara vengativa del hercúleo santo, al que no se puede desagradar ni faltarle a promesas dadas. La cruz de la fuente santa de Campolongo perdió un brazo por la caída de un árbol que talaba un vecino. Por este motivo, poco tiempo después del accidente, el agresor perdió su brazo y otro familiar tuvo un percance similar. Por eso esta familia decidió arreglar la cruz dañada y frenar la maldición. Un cura en el siglo pasado estaba en contra de la fiesta de A Fagía por los excesos en la pitanzas de la cofradía (de la que soy cofrade) que degeneraban en gran algarabía y por su carga profana. Cuando cruzaba el río camino de Cereixo, el caballo se le desbocó y lo tiró al suelo causándole la muerte. Cuentan que un largo túnel de varias leguas une el espacio ritual de A Cerca, un antiguo bosque sagrado, con el castro de monte Croado, que señorea desde las alturas todo el valle de Cereixo y Carnés. Los oscuros guerreros del Rei dos Mouros van y vienen por estas cuevas, haciendo sonar los cascos de los muchos caballos que poseen. Detrás, sus druidas negros recitan letanías.

Cereixo

Desde Cereixo, la etapa se endurece un poco hasta llegar a la playa de O Lago. Antes, cruzaremos el río de Leis de Nemancos, en donde las niñas (mi abuela y sus tías) que en el siglo pasado guiaban burros con las alforjas repletas de varas de encaje para los exportadores americanos de Muxía decían que se les aparecía de repente "un castrón" en medio del camino. Cuando lo miraban fijamente, presas de miedo, el cabrón explotaba en el aire convertido en una nube efímera de polvo gris y óxido. El sendero, ya en el *concello* de Muxía, se estrecha cuando caminamos por Fornosapo en dirección a la playa de Area Grande, la acogedora playa de Leis, la bella playa de O Lago, Os Muiños y la empinada cuesta de Chorente. Podremos seguir a Muxía por la costa o desviarnos al monasterio de Moraime y volver de nuevo a Chorente.

Santa María de Muxía

Desde la abadía de Moraime se dio un fuerte impulso a la cristianización de Nemancos. Fue varias veces atacada por andalusíes y normandos y también rapiñada por los señores de la tierra, sobre todo los inefables condes de Altamira con sus pendones de lobos. Dejando atrás los rigores de la toponimia, cuenta la versión vulgar que Moraime se llama así por los *mouros*. Fue esta una población antes denominada Sabucetam, que según los pergaminos monacales se levantó entre los castros de Regesendi y Manualdi. En el lugar de Cartel se halla el Castroverde, donde había una mina que iba por un canal desde el monte Faro de Prado hasta la Area Maior, la playa de Os Muiños. En el castro de Xanxón hay una muralla enterrada donde viven los *mouros*, muy esforzados en su trabajo de horadar la tierra cavando túneles. En las *mámoas* de Camouco (túmulos megalíticos) se enterraban los *mouros* más poderosos, los más grandes, de talla gigantesca.

En Moraime enseñan el inicio de una cueva que comunicaba los muros del monasterio con el mar. Cuentan los lugareños de *dos tempos da Inquisición* cuando el abad reclamaba el derecho de pernada a las hijas de sus vasallos. Pero una logró evitar el acoso de tan impúdicos frailes. Antes de casar, la doncella debía velarse una noche en la iglesia, cerrada a cal y canto para que nadie entrase. Entonces era cuando aprovechaba el abad para "estrenarla", pues podía acceder por la sacristía. Como la moza no podía negarse, o quedaba sin casar y marcada; ni podía escapar a otro señorío (estaba atada a la tierra de su amo el abad, al igual que los animales y los frutos), no tuvo más remedio que acudir. Pero cuando el pecador cura fue a por la rapaza, no la encontró. Pasó toda la noche buscándola por el espacioso templo. Al nacer el día el sacristán abrió la puerta y el abad tuvo que marchar con el rabo entre las piernas. La vela había terminado. Entonces, el sacristán vio a la doncella rezando en un banco y sin mancha. Curioso le preguntó cómo había hecho para evitar la lujuria del abad. "Escondida tras el retablo del altar mayor de San Julián de Moraime", respondió la futura esposa. Intuimos que tendría un retablo, hoy no existe.

Moraime es la catedral de Nemancos, una joya del arte románico levantada sobre una necrópolis tardo-romana y sueva. Moraime y el vecino priorato de Ozón guardan vínculo con el primer monacato gallego, unos cenobios dúplices (de hombres y mujeres) con su abad y abadesa. La figura de la priora Ordizia de Ozón responde a esta conjetura. Localicé su tumba en la sacristía de la iglesia, lo que confirma que San Martiño de Ozón fue monasterio dúplice. Ordizia ya no es mito, es historia. Varias son las figuras esculpidas por los canteros del singular románico del Finisterre que fueron acogidas por el pueblo y mostradas al curioso visitante como dignas de atención. Una es "a Preghisa", símbolo de la pereza; una encogida anciana que siente todo el peso de apóstoles y profetas al estar en la parte inferior de una columna del pórtico central. Los siete pecados capitales se muestran en los bellos frescos góticos del interior. Otro personaje es Farraghús, muy popular en la ría. El gigante Ferragut lucha contra Carlomagno en un capitel del pórtico sur. En Carantoña cuentan que "*don Carlosmano era un home todo de ferro*", y que Farraghús retaba en el puente de Ponte do Porto a todos sus caballeros, a los que vencía uno tras otro, hasta que dio con el rey Carlosmano, contra el que rompió su maza (porque era un hombre de hierro), siendo luego descalabrado de un mandoble. Por eso el puente medieval porteño tiene "*dous arcos ghodos e dous romanos*". Dos serían construidos desde vendaval (sur) por los hombres del gigante Farraghús y su amigacho el Rei dos Mouros, los otros por don Carlosmano y el Apóstol, que llegaron por el norte y libraron Nemancos de los *mouros*.

Desde Chorente, la etapa nos llevará por su bosque a la punta del mismo nombre desde la que veremos Muxía atravesando las playas de Espiñeirido y A Cruz. En Muxía podremos subir a la cima del monte Corpiño y contemplar sus vistas. Desde allí, bajaremos hacia la Punta da Barca con el faro y el santuario de la Virxe da Barca. Al atardecer podremos disfrutar de una de las mejores puestas de sol de la Costa da Morte; y en ocasiones, en el estío, localizar el rayo verde, el último rayo del sol antes de su inmersión en el prado donde nacen, crecen y mueren las gaviotas, señoras de los vientos.

El autor en el camino a Muxía

113

Etapa 7: Muxía-Nemiña (24,3 Km)

La costa de Muxía hasta el faro Touriñán es una costa agreste y casi inaccesible que los *trasnos* unieron creando una ruta espectacular. Es el tramo más duro del camino y debemos tomarlo con tranquilidad hasta llegar a la playa de Moreira, donde se suaviza, hasta el faro de cabo Touriñán. Esta penúltima etapa es de las más complicadas del camino, sobre todo el principio, con diez kilómetros desde Lourido a Moreira de continuas subidas y bajadas.

Muxía es término de un camino jacobeo desde Santiago de Compostela, por el que también retornaban muchos peregrinos. Otros desembarcaban de las naves que durante la Edad Media y Moderna frecuentaban su abra. Los caminantes que decidían llegar a Muxía y después a Fisterra seguían la ruta que atraviesa el Xallas por Brandomil, el monasterio de Baíñas, Berdoias, las abadías de Ozón y Moraime. Otros iban primero a Fisterra y por el actual camino post-jacobeo entraban en Muxía. En fin, esta parte el *Camiño dos Faros* integra rutas de peregrinación jacobea, por donde pasaron famosos caminantes que dejaron memoria de su itinerario. Son también, a su modo, parte de nuestro universo *trasno*: Cumont, Prieter, Einghel, Popielovo, Fontana, Laffi, Rosmithal, Munzer, Borrow y el obispo Mártiros de Armenia. Muchos visitaron de algún modo la Fisterra. Jefes de Estado como Franco o el rey Juan Carlos I, Alfonso VII, Alfonso IX. Martín Sarmiento, Ford, Aubrey Bell, Cela, Umberto Eco, Valle Inclán, Rosalía de Castro, Dámaso Alonso, Martín Gaite, o Benet.

Al menos desde el siglo XIII hay un santuario mariano en la Punta da Barca, y en el siglo posterior aparece una vinculación con el mundo jacobeo, promovida por los monjes de Moraime y la mitra compostelana. El lugar en donde se levantó una iglesia a la virgen de A Barca era un sitio ritual galaico pre-cristiano de culto a las piedras, al mar, a la naturaleza y sus dioses primitivos. Aquí habitaba una *dea*, una diosa soberana de la tierra a la que los señores tribales debían cada año rendir pleitesía en una boda sacra. Esa diosa era la garante de la soberanía, la que autorizaba al que posee la corona. Es la virgen que se aparece al apóstol en este preciso lugar y le da fuerzas para seguir, sin su apoyo no será escuchado por el pueblo. Es la reina Lupa de las leyendas del monte Pindo, una *banshee* a quien los discípulos de Santiago deben pedir permiso para enterrar el cuerpo en una colina de su propiedad; la futura Compostela.

El santuario cuenta con caminos de peregrinación por los que siguen llegando cada año en septiembre cientos de peregrinos. El del norte, el principal de Bergantiños y Soneira, atravesaba los puentes medievales de Ponteceso y Ponte do Porto. Otras dos vías llegaban por los caminos jacobeos desde los puentes de Brandomil o Olveira.

La conocida leyenda que une Muxía con el culto a Santiago nos explica que el santo patrón de España llegó cansado y desalentado al mar del fin del mundo, a la punta de Xaviña, en Muxía. Su predicación no daba resultado y los gallegos no atendían su mensaje de salvación. Entonces, mirando al bravo mar, vio llegar una señora luminosa sobre una barca de piedra. Bien la conocía, pues era la madre de Jesús, que pese a estar aún viva y viviendo con su hermano Juan, supo de sus cuitas y decidió presentarse. Tras un coloquio con el hijo del trueno, le dio ánimos para seguir en su predicación. Después fue transportada por la mano de ángeles a la compañía del Juan, que el vecino cantero románico de Moraime convirtió en *neno*. En tierra quedaron los restos de la barca prodigiosa: el casco, la vela y el timón. Estas piedras son objeto de culto y configuran la esencia de un lugar que junto a Teixido son los dos grandes centros de devoción popular del tercio norte gallego, la patria de los ártabros de Brigantium, los que combatieron a César, a Augusto y a Claudio. Pero también es muy importante esta leyenda y otras para el pueblo, porque pese a sus adulterados matices, están escritas con un fondo inmaterial ancestral, con las premisas y la letra de los devotos que caminan cada año al santuario.

La Pedra de Abalar es la más famosa de las rocas oscilantes gallegas, hermana de otras muchas del mar de los celtas. Según la leyenda, esta piedra es la barca de la virgen y solo la podían mover hombres y mujeres virtuosos libres de pecado. La Pedra dos Cadrís es la vela de la nave. Por su oquedad pasan los romeros para curar los males de riñón, reuma o lumbago. Una tercera piedra es el timón de la barca. Un lugar en donde suelen ir parejas se la llama Pedra dos Namorados. Y hay una Pedra da Cabeza, en donde los romeros colocan su cabeza en un orificio para curar males relacionados con la misma. Estas ceremonias que ya fueron comentadas por los historiadores desde el siglo XV siguen siendo hoy parte del aparato ritual de todo visitante.

Son varios los *relatorios* de milagros hechos por la virgen de A Barca, pero hay uno especial que recuperé y transcribí en su día, una relación de milagros editada en 1719 y en la que se nos presenta a la Barca con los atributos de las señoras soberanas de la tierra de la tradición céltica e indoeuropea. La *morrigan* o la *nabia*, diosas de la guerra, con carácter acuático, vigilando el paso al Alén, al Otro Mundo, a las islas fantásticas del paraíso occidental, un acceso que en el mundo celta se hace a través de las aguas. La tierra y sus elementos (viento, lluvia, ríos, mar), sus especies (animales, árboles) siguen a su Señora. Sin ella, no se sujetan a ningún dominio, y llegan los males al mundo, el hambre y la peste, los desastres naturales y los ataques de las fieras y las plagas.

En la Guerra de Sucesión, siete fragatas inglesas atacaron Muxía y los vecinos abandonaron el pueblo, pero les salió al paso a los invasores una señora de blanco al frente de una jauría de animales bravos que seguían sus órdenes, evitando así el saqueo. Un capitán inglés que había presenciado los hechos, cuando volvió en tiempos de paz a Muxía, preguntó por la señora y los "leones, lobos y alanos" que tenía para su defensa. Los vecinos entienden que se trataba de Nuestra Señora Soberana de A Barca. Podemos hablar de la escuadra del vicealmirante James Mighells, que atacó Caión, Barizo, Fisterra y otros puertos entre Prior y Finisterre a finales de septiembre de 1719.

Saldremos de Muxía por el paseo de O Coido y cruzaremos la playa de Lourido con su moderno parador nacional hasta el Coido da Agra, luego ascenderemos el monte Cachelmo, la playa de Arnela y la Punta da Buitra.

En Muxía una leyenda popular es la de A Buserana. Entre la cala Lourido y la playa de la Arnela, en Muxía, nos asombra una gruta marina en un agreste promontorio conocida por la Furna da Buserana. En tiempos remotos, había en la cima de un castro del lugar de Castelo una gran fortaleza perteneciente a un rico y valiente caballero, padre de una hermosa y dulce moza llamada Frolinda. En una de las obligadas ausencias del dueño del castillo, llegó a sus puertas Buserán, un trovador, al que se le dio entrada para amenizar un poco aquellas soledades. Tras la actuación, la ingenua Frolinda y el trovador quedaron prendados. Llegó el padre de luchar en lejanas tierras contra los moros y descubriendo el idilio expulsó al desgraciado músico, indigno de la mano de su hija. Encerró a Frolinda en el más apartado aposento de la fortaleza. Esta decisión avivó más el fuego de amor de los jóvenes y todas las noches, desde un altozano, Buserán hizo sonar su viola y entona dulces cantigas de amor. Enfurecido, el amo del castillo ordenó a sus criados la persecución y muerte de Buserán, a quien despeñan de lo alto de su *penedo* a una cueva marina (*furna*), ahogando para siempre sus melodías. Puesta en libertad la joven hidalga, al enterarse del trágico fin de su amado, enloqueció. Durante muchos días con sus noches se la veía deambular descalza por la costa, llamando por su desgraciado enamorado. Una noche, un criado fue testigo de un hecho excepcional: vio a Frolinda en lo alto de la *furna* gritando: "*¿Onde te atopas Buserán?*". Y de lo más profundo de la gruta llegaban los cantos desgarrados del trovador. De pronto, una enorme ola en remolino subió por las rocas y el aire formando con la espuma el cuerpo de Buserán, que atrapó a la joven para llevarla al seno marino donde ahora permanecen los dos enamorados fundidos en un abrazo eterno. Durante muchos años, los pescadores que faenaban por este lugar, afirmaban haber escuchado las dulces cantigas de Buserán.

Cabo Touriñán

La ruta continua bordeando acantilados en descenso hasta el Coído de Cuño por la Ribeira de Viseo para después ir a la playa de Moreira. Desde Moreira una pista de tierra nos acerca hacia Touriñán, donde llegaremos por la parte derecha al faro, punto más occidental del *Camiño dos Faros* y de la España peninsular. Finalizaremos en la playa de Nemiña. El cabo Touriñán es uno de los candidatos a la ubicación de las tres Aras Sextianas. En la isla de O

Castro hay restos castreños, y por ello los vecinos nos explican que allí vivían los *mouros*. También informan de una gran batalla *dos celtas* que desembarcaron entre Cuño y Touriñán; por eso en unas *leiras* se encontraron algunas hachas de bronce pulidas que, según el relato oral, pertenecían a los habitantes de la comarca, usadas para defenderse de los invasores.

Etapa 8:
Nemiña-Cabo Finisterre (26,2 Km)

La última etapa del *Camiño dos Faros* sale de la hermosa playa de Nemiña, recorriendo todo el arenal hasta llegar a la ría de Lires, la más pequeña de Galicia, un paraíso ornitológico, en la aldea pionera del turismo rural de la zona. Al otro lado está la playa de Lires, a la que podemos acceder dando toda la vuelta o cruzando un paso. Por el río do Castro arriba cruzaremos por el puente de Vaosilveiro, atravesaremos el pueblo de Lires, y alcanzaremos su playa después de recorrer tres kilómetros. Toda esta vuelta se puede ahorrar cruzando la ría, pero esto solo puede hacerse durante un par de horas en los meses de verano. Desde el arenal viene un pronunciado camino de ascenso hacia los acantilados de Punta Besugueira y de la Mexadoira. El siguiente punto en la ruta es la larga playa de O Rostro. Al final de la playa subiremos por un pequeño sendero hasta la Punta do Rostro. Atravesamos estos acantilados por la parte superior hasta la Punta do Castelo, donde embarrancó el mercante panameño Casón, provocando el mayor desalojo de vecinos de la historia de esta comarca. Visitaremos los restos del castro de Castromiñán y contemplaremos el Cabo da Nave y la playa de Arnela.

En Castromiñán habitaban los *mouros*, que nivelaron el terreno para defenderse mejor. Al parecer algunos en otros tiempos intentaron descubrir un tesoro oculto. Aquí se refugiaron los habitantes de la legendaria ciudad de Duio, tras su desaparición, por ser un lugar estratégico y con mejor defensa contra los enemigos.

Desde la pista que bordea la playa de Arnela entraremos a los acantilados más altos de la ruta. Al llegar al final nos espera la última bajada, la última playa y el último monte antes de llegar a la meta, el faro de cabo Finisterre. Desde el Cabo da Nave, y en un descenso muy pronunciado, alcanzaremos la playa de Mar de Fóra y subiremos en busca del Camiño da Insua hasta el monte Facho. En la Furna do Encanto de Mar de Fóra vive una *meiga* que solo se escucha de noche.

En continuo ascenso llegaremos a la parte oeste del Cabo, a partir de la cual comienza el último repecho, de mucha pendiente y con terreno pedregoso, antes de contemplar las primeras vistas del faro del cabo Finisterre, el fin del mundo conocido, termino del camino jacobeo de peregrinación que conserva esa fuerza telúrica que asombró a gentes de toda condición, credo o nación. Escriben viejos cronistas sobre un templo romano del sol levantado en este promontorio legendario, el *ara solis*. El sol se hunde cada día en las aguas del océano, del Mar Tenebroso, y resurge en la estrella egipcia de la resurrección, al final del Camino de la Oca, el Camino del Grial. La Vía Láctea llega desde oriente trazando en el cielo una curva que se sumerge en el mar, en la séptima vaga.

En lo alto del monte de San Guillermo se conservan las ruinas de la ermita de su nombre, en donde vivía un ermitaño amigo del vino. Unos dicen que este ermitaño era don Gaiferos, el de los romances de peregrinación; otros que fue Guillermo de Aquitania, que aquí vino a morir. Al lado veremos una cama de piedra en donde se echaban a dormir marido y mujer en busca de un hijo. Cuenta la leyenda que unos marineros franceses le regalaron al ermitaño Guillermo un barril de vino, y que cuando este quiso subirlo al monte, un demonio disfrazado se ofreció a ayudarle. El demonio tiró con fuerza desde atrás hasta que el ermitaño se despeñó, manchando el barril de vino una de las piedras cerca de la costa. Dice Erich Lassota de Steblovo en 1580 que *"el vino se puede ver todavía sobre las piedras derramado...Yo no pude verlo porque la mar estaba muy agitada"*. El caballero y militar polaco Lassota entró por mar en un galeón a Muxía y luego se acercó por tierra a Fisterra. Dejó escrito que Nuestra Señora das Areas era trasladada en un navío y que cuando pasó enfrente a la cima donde ahora está su iglesia no quiso moverse más. La tuvieron que desembarcar. Una vez en el sitio donde está su templo se hizo tan pesada que no fue posible llevarla más lejos y por eso allí se le levantó su iglesia.

El camino iniciático de peregrinación del Temple terminaba en San Guillermo. Aquí los templarios guardaban un brazo de plata con la reliquia del santo. La flota hugonote francesa de Jean de Clamorgan destruyó la iglesia y lo robó, pero la escuadra fue perseguida por los dieciséis barcos de don Álvaro de Bazán, que venció a los galos en Muros el 25 de julio de 1543. La nao capitana de Clamorgan que llevaba el brazo del santo se hundió en la batalla.

En el Monte do Facho se oculta un caballo de oro. Por eso es frecuente que los *fisterráns* pregunten a los curiosos *trasnos* que ven por la zona: *"xa atopaches o cabalo de ouro?"*. En

As Pedras Santas del Monte do Facho se ven dos peñascos en los que descansó Nuestra Señora. No se pueden retirar ni con dos yugadas de bueyes, pero se pueden mover con un dedo. Y sigue en su lugar la silla de piedra en la que, según la leyenda cristiana, el Apóstol Santiago se sentó a observar el mar, dejó sus huellas e hizo manar agua de la roca.

La Ronda en este *concello* suele usar el camino procesional de Mallas a Calcova, llamada por ello "*A Costa do Susto*". A veces en el seno marítimo de Corcubión hay almas que deambulan solas, sin el grupo de la Santa Compaña. En el *cruceiro* de Brens (Cee) se solía ver a una mujer de negro que llamaba a las puertas pero escapaba antes de que los vecinos le abrieran. Estos se extrañaron por la conducta, hasta que vieron que era un alma en pena sin rostro. Generalmente, este uso es habitual de las almas con una promesa sin cumplir Así, cuando encuentran a un vivo en un camino le piden que vayan en su lugar a Teixido, a donde el ánima no pudo ir en vida. Si el ofrecido viaja en autobús, lleva una vela y paga el asiento del alma, que queda vacío.

Una criatura fantástica que poblaba los montes de Nemancos, en el camino real que lleva Fisterra, es el *vakner*. Para unos, un *lobishome*, el hombre lobo frecuente en la mitología gallega. De hecho, el lobo es el gran monstruo de nuestros montes, el más temido. O un Fafner, dragón nórdico, por afinidad fonética. Sin olvidar otro término muy gallego "*vacuro o vacuriño*", otro animal peligroso que es el jabalí o *porco bravo*, del que copia rostro el mismo diablo, pues nuestros antepasados nos recuerdan que: "*o demo é un bicho, ten cara de vacuriño*".

El obispo Mártir de Arzendján, ciudad y diócesis de Armenia situada en la península de Anatolia (actual Turquía), emprendió su peregrinaje desde el monasterio de San Ciriaco de Norkiegh, donde residía, el 29 de octubre de 1489, prolongándolo hasta 1496. Se dirigió en este viaje en peregrinación a Compostela y de allí a Finisterre en 1493, dejando una sola cita que habla de este animal, nacido de un texto literario armenio con muchas voces turcas. Se trata de una bestia que se encontraría entre Fisterra y Muxía y de la que habla por primera vez el obispo armenio en un diario que escribió durante su camino: "Padecí muchos trabajos y fatigas en este viaje, en el cual topé con gran cantidad de bestias salvajes muy peligrosas. Encontramos el *vákner*, animal salvaje grande y muy dañino".

Si a este monstruo se le relaciona con un *lobishome*, también la Orcabella, otro ser espectral del cabo, es llamada *"loba incarniçada"*. En la Terra de Xallas, atravesada por el obispo en su camino a Fisterra, al hombre lobo se le llama *"home do sangue"* (hombre de la sangre). En el siglo pasado, en Santa Comba salía a los caminos un hombre peludo, con atributos de lobo, al que al final parece que llevaron a curar, porque *non era ben*.

La terrible vieja Orcavella, habitaba el Monte do Facho. El primer testimonio escrito procede la *Silva Curiosa*, publicada en París en 1583 por Julio Íñiguez de Medrano. Nos informa Medrano que, cuando un peregrino subía hacia la cima del cabo para buscar un viejo enterramiento sobre el que había leído muchas leyendas, le detuvo un pastor para rogarle que no continuara hasta la cima:

"Guardaos, guardaos! ¡Santo Dios, hermano!, ¿y a dónde *ýbades* a perderos? ¿Non *sabedes* que dentro de aquellas peñas está *fechado* o *corpo* maldito de la encantadora Orcavella, y que nunca jamás *home* ni *muller* lo *vido* que no sea *morto* antes del año?".

Y el pastor narra la leyenda al peregrino. La terrible vieja había entrado en España en tiempo de guerras contra moros y paganos. Luego, aquel monstruo llegó al Reino de Galicia manejando artes diabólicas, robando noche y día cuantos niños podía y luego devorando sus carnes, a tal punto que "vivió 176 años, y dentro *d'este* tiempo fue tan grande el estrago y *matança* que esta loba *incarniçada* hizo que ella *dexó* la mitad *d'este* reino despoblado y desierto". Saciada su hambre de sangre, la horrible bruja se acercó a Fisterra subiendo a las altas peñas del facho, donde cavó una tumba y se enterró bajo una gran losa abrazada a un infeliz pastor que había hallado allí. A los lamentos del desgraciado acudieron otros pastores que intentaron, en vano, levantar la gran lápida, pero al descubrir que el sepulcro estaba defendido por docenas de serpientes, huyeron espantados. Desde entonces, todo el que sube para abrir el sepulcro se ve afectado por la maldición de la vieja infernal, y no hay nadie que haya visitado el sepulcro y visto los cuerpos allí enterrados que no haya muerto antes de un año.

La leyenda jacobea ubica la ciudad de Dugium en la parroquia de Duio. Cuando los dos discípulos del apóstol trajeron su cuerpo desde Palestina a Galicia pidieron autorización para su entierro a la mítica Reina Lupa, pues habían desembarcado en sus tierras, cerca de Padrón. La reina (lavándose las manos como otro gallego famoso, Poncio Pilatos, nacido en Astúrica) les mandó en busca del permiso del legado romano, que vivía en Duio. El pagano legado (en otros relatos llamado *rex*), los quiso detener; pero los dos futuros santos, alertados por unos creyentes, huyeron perseguidos por los legionarios. Los discípulos lograron pasar un puente en la calzada romana que lleva al interior de la provincia, pero cuando lo intentaron los soldados, el paso se hundió bajo el peso de los caballos.

Reina Lupa y rex de Duio

La ciudad de Duio, con el paso del tiempo y con la decadencia de los romanos, se fue debilitando y sus casas fueron despareciendo bajo las dunas de la playa de Langosteira, como las villas de los *mouros*. Aún en el siglo pasado, los ancianos de Duio hablaban que cerca del lugar de As Caselas hubo una ciudad llamada Petronia. Un día que había guerra llegó Jesucristo y se detuvo delante del crucero de Rapadoira, en la misma aldea, y desde allí les recriminó a los de la ciudad: "que Dios os convierta, que nosotros no podemos". Y luego, la ciudad desapareció bajo tierra. En otro relato se cita como Patrónica, a la que condenó Carlomagno por su corrupción.

Cascada de O Ézaro

Desde el cabo se contempla el seno de Corcubión. A la entrada de ese lugar, el Ciprianillo ubicaba un tesoro debajo de una casa de *mouros*. En Corcubión, el *trasno* se esconde en los hornos de las casas, por eso allí tienen bien cerradas las bocas de los *fornos*. Al sur del estero luce la cascada del monte Pindo, el Olimpo de los celtas nerios, de la histórica y dinástica Trastámara. Allí escondió su tesoro la mítica Raiña Lupa. Al parecer, cerca de las ruinas del castillo de Peñafiel, la fortaleza que con la de Traba de Laxe defendía en la Alta Edad Media la comarca. Se puede acceder a la cueva del tesoro por la Portiña do Inferno o la Ventana da Bruxa. Entonces encontraremos tres túneles: por uno llegaremos al tesoro, guardado por una doncella de cabellos dorados; por otro, daremos a un laberinto sin fondo; y el tercero nos devolverá al exterior, atravesando por debajo del castillo. Mi amigo Modesto García de Dumbría me advierte que cuando la bella cascada estaba en su máximo esplendor y las mujeres de O Pindo lavaban la ropa debajo de la *fervenza*, nadie se atrevía a escalar ese muro de entrada a la cueva por el peligro de despeñarse o por miedo a no dar con el túnel correcto. En el monte se conserva la cueva de Casaxoana, donde se reúnen todas las brujas de la redonda para planificar las maldades del año.

Cabo Finisterre

El Santo Cristo da Barba Dourada, venerado en la iglesia de Santa María das Areas, tiene un rostro muy humano, incluso le crece la cabellera. Unos pescadores que regresaban en medio del temporal al puerto vieron un gran navío bandeando peligrosamente. De su cubierta cayó una enorme caja de madera que flotando se les acercó. La quisieron coger pero no pudieron, y veloz el arca se encaminó a la playa a donde llegó antes que ellos. Dentro estaba la imagen bellamente tallada del crucificado. En una de las muchas incursiones enemigas que atacan el puerto, varios moros entraron en la iglesia y viendo el Cristo lo despreciaron. Uno de ellos blandió la cimitarra para descargarla sobre la imagen, pero su brazo quedó suspenso en el aire como una estatua. Comprobando su error, los compañeros prometieron convertirse si el señor les dejaba ir en buena hora, cosa que hicieron acercándose a la vecina villa de Cee, donde fueron bautizados. El cristo gótico fue donado por el obispo Vasco Pérez Mariño, es obra de un enigmático tallista Nicodemo, similar al de la catedral de Ourense. Mariño, como sabemos, desciende de una sirena.

Fisterra, Finisterre

Es hora de hacer un alto antes de la despedida, aquí donde se juntan los caminos de las almas y los cuerpos, para recordar a los curiosos investigadores que recogieron tantas leyendas antes de su pérdida, una parte más de ese patrimonio que a veces ya solo conservamos en viejas fotos. López Abente, Esmorís Recamán, De Ramón y Ballesteros, Pepe Baña, Alonso Romero. Hoy alguno de nuestros mitos, como el monstruoso vákner que asustaba a los peregrinos del siglo xv, han sido recuperados y puestos en valor por loables iniciativas como la del Concello de Dumbría con el entusiasmo de José Manuel Pequeño, convirtiéndolo en un guión sobre el que indagar en este rico mundo del cuento popular. En el siglo del vákner un cronista de las casas nobles del Reino de Galicia no pudo dejar de hilvanar las memorias de los señores de la guerra del Finisterre con los dorados hilos del apólogo. Fábulas o quimeras no eran tales en su época, cuando los caballeros rendían dragones a los pies de sus damas. El cronista se llamaba Vasco da Ponte y cantó las andanzas de los señores de Altamira, cuyos pendones con cabezas sangrantes de lobo gobernaban con soga y cuchillo estas tierras desde el castillo de Vimianzo y la torre de Corcubión. Los caminos reales bajando desde Santiago a Muxía y Fisterra eran parte del Camino Jacobeo; vadeando por Brandomil, Olveira, Portomouro, Ponte Maceira. Entroncan con las rutas a los santuarios de A Barca y O Cristo, atravesando Ponteceso, Ponte do Porto, Soneira.

Con nuestro Camiño dos Faros. Esos temibles señores feudales, gerifaltes de antaño, duermen en sus *cadaleitos* de piedra compostelanos, mientras sus almas en forma de cuervos rondan las piedras santas de San Guillermo.

Lope Sánchez de Moscoso se lanzó a reconquistar su castillo de Vimianzo, en manos del arzobispo compostelano. Una vez vencido el ocupante, fueron perdonados los contrarios, salvo un peón al que el noble tenía ojeriza. Se llamaba Fernando de Xinzo y el señor lo mandó ahorcar. El pobre soldado imploró el auxilio de la virgen de Guadalupe, en medio de las burlas de los vasallos del señor de Altamira. Pero estando en la horca sucedió un gran torbellino que alejó a todos. Quebró la cuerda y el ahorcado cayó de pie. Viéndose vivo, escapó al monte. Luego, entró en casa de un compadre al que dio un mortal susto, tomándolo por un muerto viviente. Pasada la impresión, le contó el suceso y su deseo de ir un año al santuario de Guadalupe en Extremadura, a servir a tan alta señora. Volvió tras la *ofreza* y según el cronista: "*vivió algunos años, y falaba rouco, andando esganado de la cordá*".

Cuando no había faros, los montes más altos ejercían de guías a los navegantes, como el Facho de Fisterra o el Facho de Lourido. El monte Faro de Vimianzo. Quién sabe si el señor de las torres de Vimianzo, don Álvaro Pérez de Altamira, en esa montaña de túneles mineros pudo localizar la cueva de A Curuxa. Allí entró, aconsejado por un fraile nigromante, con treinta peones, largas cuerdas y hachas encendidas, porque había un gran tesoro de mouros. Dentro encontraron grandes aves que los atacaban y alcanzaron un gran río. En la otra orilla vieron gentes extrañas, hermosas, ricamente vestidas, tañendo instrumentos y al lado de sacas de tesoros. temieron el caudal del río y no se atrevieron a pasar, decidiendo retornar. Pero el fraile les increpaba: "adelante, adelante, que no es nada". Entonces nació un tan gran viento que les apagó las hachas, y cuando pudieron salir les vino un aire emponzoñado que ninguno salió al año con vida. También el señor don Álvaro. El fraile perdió la vista de los ojos.

Finisterre es *"a vila do Cristo"*, el cabo del fin del mundo y del inicio, de la resurrección. El pueblo representa con gran devoción las escenas de la Pasión en Semana Santa en el atrio de Santa María das Areas. Es aquí donde la Vía Láctea se hunde en el mar. El camino celeste por el que bajó Santiago a luchar con los *mouros*, y por el que subió al cielo. La ruta de las almas que a estos marinos prados peregrinan, porque "el alma en saliendo de las carnes va a Santiago de Galicia en derechura" (Lucas Gracián). Nosotros también hemos llegado al final de nuestra ruta. Durante un centenar de páginas caminamos al lado de seres fantásticos, tesoros ocultos, piedras encantadas, *meigas* y *trasnos*. Todos conforman la capa de niebla que envuelve el ser de la antigua Nemancos, fundiendo el pasado y el presente, los deseos y temores, personajes históricos y legendarios en un relato amoldado, *"ao xeito"*. Por una parte acomodado por los creadores del relato y los recopiladores. Por otra, adaptado a lo que quieren oír los receptores: los hombres y mujeres del país. Por eso es tan importante contarlo de una forma y no de otra. Por respeto a los antepasados que siguen vivos mientras viven sus leyendas.

Con este trabajo intento hacer más sugerente el muy activo *Camiño dos Faros*, saciando la sed del viajero con un manantial mitológico e histórico que le ayude a entender mejor el territorio, atravesado por senderos, en buena parte hoy recuperados gracias a su esfuerzo por volver a pisar donde hollaron caminantes milenarios; entrando así en complicidad con la tierra y la gente, dos caras de una misma moneda, inseparables. Es posible que les haya causado más sed, más hambre de saber, porque esta obra es solo una muestra de nuestro rico acervo, limitada por la edición. Eso es bueno, como ya es meritorio que lleven este libro en su mochila, mostrando así el mayor interés por nuestra gente, su cariño por nuestra cultura. El conocimiento de nuestras tradiciones, de nuestra herencia cultural, nos ayudará no solo a entender la sociedad en la que vivimos sino a ser mejores personas. Buen camino.

EDITATUM

Libros para crecer

www.editatum.com